J'ABANDONNE AUX CHIENS
L'EXPLOIT DE NOUS JUGER

DU MÊME AUTEUR

SYMPATHIE POUR LE DIABLE, Lanctôt éditeur, Montréal, 1997.
Florent-Massot, Paris, 1998. J'ai lu, 2001.
CEUX QUI VONT MOURIR, Grasset, 2001.

PAUL M. MARCHAND

J'ABANDONNE AUX CHIENS
L'EXPLOIT DE NOUS JUGER

BERNARD GRASSET
PARIS

à N. P.

Elle s'appelle Sarah. Mais il est bien évident que ce n'est pas son prénom. Je l'ai rencontrée il y a environ deux ans, peu après la sortie de mon roman, elle l'avait lu et m'avait écrit. Ses premiers mots étaient : « Vous commencez votre livre par une phrase de Céline, vous le concluez par une de Nimier, c'est là deux raisons de nous présenter. » Alors nous nous sommes vus, à Paris, dans le Marais, et puis à la Bastille, et puis encore à Saint-Germain, en évitant, comme elle les nommait « Le Chlore et les Deux Mégots » ; sans conteste nous avons évoqué Céline et Nimier, d'autres morts s'y sont vite joints, tels que Romain Gary et

Søren Kierkegaard... Ensuite nous avons réveillé nos propres morts et les avons conviés à notre table. Les miens, dans les pays en guerre où je travaillais, avaient tous succombé sous les coups de la mauvaise foi ou d'un certain laisser-aller et accessoirement sous les coups de feu et les coups bas... Le sien (puisqu'il était unique le cadavre qui encombrait sa mémoire) était mort d'amour et de précipitation, et peut-être aussi un peu d'avant-gardisme... Vingt ans après lui avoir donné naissance par hasard...

Elle m'a confié son histoire car j'avais «vécu dans les marges de la vie», et elle voulait comparer la profondeur des siennes. Je l'ai écoutée longtemps. Des soirées, des après-midi. J'étais attentif, et presque toujours silencieux. Son récit était très décousu, sans chronologie, son débit suivait les émotions de sa mémoire sélective, elle flânait dans sa passion décédée, procédait par longues stations.

Elle était belle, elle était digne, dans ses colères, dans sa désolation. Son témoignage se situait bien au-delà des marges connues et répertoriées, elle avançait sur des sables mouvants, une terre en vue, une appréhension. Un jour je lui ai demandé d'écrire son histoire, de la partager en la dévoilant, j'étais disposé à lui présenter Manuel Carcassonne, mon éditeur chez Grasset, à la défendre, certainement. Elle refusa. Ce n'était pas à négocier. Nous avons repris nos distances... Un mercredi soir, elle m'invita à dîner chez elle, sur l'île de la Cité, juste avant le dessert, un clafoutis aux cerises, elle me tendit une revue pour lettrés : L'Infini, avec un texte de Christophe Bataille, le « Jean-Luc Godard de la littérature française ». Il s'intitulait : « Je vous raconterai ma vie vous l'écrirez. » L'auteur introduisait dans son préambule un extrait d'une correspondance d'Aimée Desplantes à Eugène Sue, datée du 23 septembre 1843 et expédiée de

Melun. « (...) mais il faut pour vous inté-
resser me faire connaître car ce n'est pas
une misère ordinaire que la mienne per-
mettez moi donc monsieur que je vous
fasse le récit abrégé de ma vie entière
(prise avec détails depuis ma naissance et
écrite avec votre talent mon histoire
serait poignante et je vous jure plus inté-
ressante que bien des romans qui passe
pourtant pour bon, un jour si vous le
voulez en reconnaissance de ce que vous
aurez fait pour moi (je suppose que vous
le ferez) je vous l'écrirai vous le rédige-
rez. »

J'ai marché dans ses pas, j'ai pris avec
elle des trains pour la Bourgogne, les
Paris gare de Lyon-Joigny, comme elle,
sans composter mon billet, j'ai visité sa
maison et le marché de Toucy, j'ai
consulté l'état civil, j'ai lu la longue lettre
de Benoît, son amant et son « Père »,
mais je n'ai jamais vu de photo de lui...
Je n'avais pas de titre pour ce livre, elle

m'a aidé en me parlant d'une nuit qu'elle passa avec Jacques Brel autour d'une bouteille de rhum... Mais c'est tout seul, que j'ai écouté Orly.

Paul M. Marchand.

« Mais ces deux déchirés,
Superbes de chagrin,
Abandonnent aux chiens,
L'exploit de les juger... »

Jacques BREL.

PREMIÈRE PARTIE

Après avoir fait l'amour, à une époque où nous n'étions plus à surveiller nos inhibitions, j'avais pris du bout des doigts un peu de sa semence qui coulait entre mes seins. Je l'avais laissée rouler entre les pulpes de mon pouce et de mon index, comme un nuage que j'aurais décroché du ciel. Je l'avais admirée long-temps. Avec une insensible lenteur. C'était bizarre. Très suave aussi, une flo-raison perdue. Dans cet échantillon moelleux, je m'auscultais. J'étais issue en partie de ça... J'étais une descendante de cette substance laiteuse, de cette écume visqueuse et épaisse qui me procurait tant de plaisir et que j'aimais sentir me

19

brûler la peau, le ventre, la langue. J'inspectais ce cristal neigeux pour voir si ça gigotait encore à l'intérieur, s'il y avait quelques rescapés en train d'agoniser. Je recelais ma genèse entre les doigts ; de cet excédent d'euphorie, presque une incontinence, j'étais donc née... Contrecoup d'un éclair vif... Je me malaxais et je me voyais petite, infiniment petite, microscopique, même pas concevable. Je me regardais droit dans les yeux, à distance, mon passé me collant sous les ongles, c'était comme un clapotis de mon être, un portrait négatif et antique... Les pages ouvertes d'un livre, incrustées dans cette extase blanchâtre... Une absurde succession de hasards, une omission après fabrication, pour en arriver là : triturer mes doubles entre les doigts, blottie contre leur source. J'étais fascinée par ma propre attraction filiale, et je m'écorchais au contact de cette fulgurance charnelle et liquide. Je vivais une expérience hautement singulière, et si secrète.

Mais cette plénitude, je la savais fugitive, car condamnée d'avance... Sous mon oreille, j'entendais danser le cœur de «mon père». Son souffle la caressait en chaudes saccades. Il me scrutait depuis un moment, en amont, et après tout, c'était bien là qu'aurait dû être sa place. Il avait envie de me parler. Il se retenait. Je le sentais embarrassé, aux aguets. J'ai rompu le silence en lui disant que j'examinais mes origines, la source vive de ma naissance. «Mon père» s'est levé d'un bond, il était agité, il m'a dit : «Ne dis pas ça... ne dis pas ça...» J'ai rigolé, je lui ai demandé de revenir près de moi. Il s'est enfermé dans la salle de bains. J'ai tapé contre la porte. En vain. Il a crié, je crois : «Je t'interdis de dire cela... Nous avions un accord...» Je riais encore de plus belle, j'étais heureuse, alors j'ai fait l'intelligente, une brève réminiscence de mes cours de philosophie, et j'ai lancé à travers la porte un truc de Brecht : «Je suis contre toute réglementation dans une porcherie. »

La première fois que j'ai rencontré « Papa », j'avais dix-sept ans. Un peu plus, peut-être, de quelques petites semaines. Dernière ligne droite avant la majorité, j'accélérais le pas, j'étais curieuse d'être adulte. Il était très en retard. Sa carte d'identité… Je l'attendais depuis une heure, depuis deux cent quarante mois, un entraînement monotone. Je faisais les cent pas. J'étais opiniâtre, sans aucun mérite, j'avais une certaine habitude de l'attendre. Une interminable apnée, comme une servitude, pas vraiment une colère, plutôt un combat. Vu d'ici, presque une vertu. Ma carte d'identité… J'étais le motif de son égarement et de ses retards, il était la cause de ma patience. Moi, à force de le guetter, et lui, à force de faire des détours, il était fatal que nous nous rencontrions. Dans des lieux communs. Entre l'obstination et l'indispensable, à leurs sources, là où les rêves s'abreuvent.

Il avait trente-huit ans lors de sa première apparition. Il en avait vingt et un le jour où il avait oublié d'être père. Une étourderie, une sieste qui s'étire dans une allégresse d'été. Pas une histoire à dormir debout. Un lendemain de 14 juillet, une nuit féerique et une aube qui s'attarde jusqu'au milieu de l'après-midi. Des jeux de mains, peut-être une bouillante étreinte, un éblouissement ensué et un reste indélébile, souvenir enfoui sous un joli ventre bronzé. Des fragments de soi qui s'entrelacent et se soudent à d'autres fragments. Pour ma mère fécondée, une lente transformation, un émerveillement à une voix, et un enfant. Une fille. Pour lui, « mon père », un acte transparent, une amourette estivale, puis quelques méridiens franchis, dans l'ignorance et sans même se retourner. Neuf mois plus tard, dans les limites aléatoires du temps réglementaire et sans la moindre complication, je suis née, ensanglantée, frétillante et hurlante comme il se doit, mais amputée d'un père, inaudible depuis ses antipodes. Dans l'entourage de ma mère, on a dit de « mon père », ce mufle de géniteur, cet éparpillé : « Que le diable l'emporte... » Sans méchanceté, je crois. Juste de l'orgueil, un versant d'ombre à dévaler.

« Bonjour Sarah. » Je me suis retournée, il était là, debout, et devant moi. Je ne me l'étais jamais imaginé. Ni dans les détails, ni dans ce qui aurait pu en être une grossière esquisse. Je savais qu'il existait, et cela me suffisait. Il ne faisait pas son âge, il ressemblait à un jeune trentenaire avec une dégaine de grand adolescent. C'est la première chose que j'ai remarquée, et qui m'a frappée. Il souriait. J'ai été harponnée. Il m'a dit : « Je suis désolé, j'ai beaucoup de retard. » J'ai rigolé. Il a rougi. Nous nous sommes mis à rire tous les deux. Il a hésité avant de me faire la bise, j'ai parcouru la moitié du chemin pour lui. Ses joues étaient rasées et elles exhalaient un parfum encore inconnu de moi. On est restés là, plantés, face à face, silencieux et intimidés. Je le dévisageais, cherchais quelques-uns de mes traits dans les siens. Il se laissait explorer sans bouger, ses yeux suivaient la course des miens. Il était indulgent, se soumettait à ma quête, à mon avidité spontanée. J'attendais cet événement, ce tournant, depuis dix-sept années. Lui devait le redouter aussi, depuis peu, même pas six mois. Depuis qu'il avait appris qu'il allait avoir une fille. C'est moi qui lui avais annoncé la bonne nouvelle. A peine a-t-il eu le temps de s'en émouvoir et de s'habituer aux mille et une joies de la paternité, que j'étais là, épanouie devant lui, déjà presque une adulte... Et bientôt la seule femme de sa vie... La seule qu'il ait aimée, comme un possédé, jusqu'à en mourir...

Il s'appelait Benoît et il avait un peu plus de vingt ans. Il avait quitté le bord de mer pour les vacances. Il était de Nice, mais il étudiait en Angleterre. Ma mère fut éblouie. Lui aussi, visiblement. Il l'aborda en anglais, pour jouer les étrangers. Il lui dit : « I come from London. » Elle lui demanda s'il n'était pas plutôt « come from France, avant de come from somewhere ». Il lui sourit, elle s'arrima à ce pur éclat, il s'en aperçut, et la fit tanguer. Après, il lui parla avec des mots qui n'existaient pas encore pour elle. C'était dans les premiers jours du mois de juillet. Ils se virent quotidiennement, comme la récompense d'une attente qu'on s'accorde avant terme. Il fut invité par le Professeur à partager un repas du soir, sur la petite terrasse de la maison. Il trouva du talent à ma grand-mère, elle en fut émue — il étudiait les beaux-arts, en Angleterre, il s'en expliquait sans grandiloquence, avec beaucoup d'esprit et d'enthousiasme. Ma tante le trouva «très bien». Ma mère était heureuse. Elle irradiait. Lui se troublait quand elle le regardait. Il paraît qu'ils étaient beaux à voir, tous les deux, dans cette apesanteur... Le passé est un piètre orateur, en fait il est plutôt muet, d'autres le content à sa place. Avec des mots qui ne font pas défaut. Ma tante, mes grands-parents, tous m'ont peint cette soirée, ce souper en commun, ce bonheur si simple. Chacun l'a figé derrière ses yeux, dans sa mémoire. Ils espéraient qu'il s'étende...

Au téléphone, il a répondu en anglais. Je lui ai demandé s'il avait oublié tout son vocabulaire français. Je me suis présentée et je lui ai dit que j'étais sa fille et que je lui téléphonais depuis Paris. Il m'a demandé de répéter. Il n'avait pas l'air déconcerté. Il a d'abord cru à un canular. J'étais certaine de cette réaction.

C'était banal. Il m'a écoutée, avec une infinie patience, sans jamais me couper la parole ou me contredire, à aucun moment il n'a menacé de raccrocher. Il était intrigué, je le sentais joueur, pas aux abois. J'étais lucide, tout s'enchaînait dans un souffle. Les mots survenaient seuls. J'avais tout mon temps. Je conversais avec un étranger qui était « mon père », mais que jamais, et cela je le savais, je n'appellerais « Papa » de son vivant... Je lui ai remémoré un été passé et très certainement oublié. Nice et les Beaux-Arts, le Lubéron et une fête de 14 juillet. L'empire de la beauté de ma mère, les attractions inéluctables et leurs belles alchimies. Toute la nuit blanche, la matinée éludée, les fines harmonies des élans retenus et, enfin, la reddition escomptée de chacun. J'ai ajouté : « Un moment vous deviez ne plus rien avoir à vous dire, alors vous avez fait l'amour... » C'était en juillet 1970, une saison où les cœurs s'expriment toujours mieux. Il demeurait muet, attentif. J'ai vite condensé, je suis passée à l'essentiel... Ils se sont revus les jours suivants. Une semaine, tout au plus. Et puis il est parti, subitement, sans prévenir et sans dire au revoir. Une péripétie familiale le réclamait, très loin. Plusieurs semaines après, chez ma mère, le sang n'a pas coulé...

Moi, j'étais vivante, lumineuse, convergence des regards, à demi anonyme. Pour ma jeune mère, c'était autre chose... « Une fille-mère ». Personne ne le disait plus. Question d'époque, de surface. Tout le monde le pensait. Des sous-entendus pour ne pas accéder à la parole blessante. Le tranchant des parades n'effaçait pas le silence des allusions. Ma mère m'a décrit le vernis, les artifices, les trajectoires des coupures profondes, leurs frayages vers le cœur. Pour elle, il n'y a jamais eu prescription. Elle encaissait, sa mémoire absorbait tout, par strates brûlantes. Son destin ? J'en étais la racine flamboyante, pas vraiment son boulet infamant. Elle était indomptable, elle me revendiquait. Son amour déferlait, immenses caresses. Il me débordait, parfois le courant était trop fort. J'habitais cet espace exposé. J'étais son centre de gravité, l'épine dorsale qui la maintenait droite et insolente face aux vents contraires. Je n'étais pas née derrière une façade. Mon berceau était ses mille nuits de veille. Mon repos compensait sa fatigue.

J'ai grandi, entièrement contenue dans cette félicité. Entourée de femmes. Ma grand-mère, ma tante, même la baby-sitter était une femme, et les femmes de ménage aussi. Tous mes points cardinaux portaient des jupes, la blancheur des bras sentait bon le parfum, dédales de doigts fins et de bouches fardées comme des argenteries ravivées. J'ai appris à parler sur leurs mots, j'ai accédé à la parole sur la nervure royale de leurs accents, tous ces lieux d'ouverture qui enjolivaient mes silences ou mes premiers balbutiements. Je contemplais leurs yeux et je devenais soliste. Elles s'accordaient toutes sur moi. Leurs gestes étaient les ponctuations de leur amour. Je m'en aspergeais, déambulais à l'intérieur, jamais rassasiée.

J'avais l'intuition qu'il manquait, parmi toutes ces femmes aimantes, quelque chose ou quelqu'un, sans parvenir toutefois à le formuler. Dans ces tâtonnements instinctifs, je décidai de marcher, pour y voir plus clair... Les mains et les mollets soyeux étaient mes rambardes. Je n'étais plus encagée, j'étais enfin de l'autre côté des hauts barreaux, j'avançais dans la vie. Fini la reptation, je progressais, à quatre pattes puis sur deux, mes horizons reculaient. Je prenais de la hauteur, parfois le vertige me faisait chuter. Les chaises, les murs, les angles droits, tout se jetait en ordre dispersé devant moi, ennemis qui me coupaient la route ou fractionnaient ma retraite. Je les soupçonnais de vouloir me contrarier. J'ai tenu bon, j'avais gagné. J'étais verticale et nomade, je les toisais à chaque pas.

Avec les années, je pris encore un peu plus d'altitude... J'entendais alors : « Elle est très grande pour son âge. » Je répondais invariablement la même chose : « C'est pratique, quand il pleut, je le sais avant vous... » De « trop grande », je passais à « effrontée ». Une promotion fulgurante. J'étais rieuse, j'en acquis une certaine épaisseur. Cela érigeait même quelques barrières. Une vanité, et aussi une distance avec les futilités qui agaçaient beaucoup. Ma mère souriait, ravie de mes gammes et de ces pétulantes bravades. Elle flattait ma transhumance.

Mes jours fuyaient à la recherche d'une silhouette. J'avais huit ou neuf ans et je glanais les indices concordants. Les portes s'ouvraient, les mots étaient moins dérobés. J'étais « en âge de comprendre ». Je ne recherchais que les confirmations de mes pressentiments. J'allumais des incendies. Mes questions étaient brèves ; ma mère y achoppait. Petit à petit, pourtant, elle effeuillait sa rencontre avec mon géniteur, je dénichais mes origines. Elles étaient belles. Deux routes, une halte, un croisement enseveli, puis à nouveau deux routes, avaient fait de moi une errante. Deux itinéraires distincts ne pouvaient pas se convertir en chemin de halage pour une clandestine. J'étais donc une production égarée... Cet état civil excentrique meublait mes petites routines et l'ennui de mes camarades d'école. J'étais apaisée, je me savais différente d'eux. L'absence de paternité reconnue était une épine, ils s'y frottaient. Pour tester leur résistance, et aussi pour les dégonfler, je les retenais contre moi, ils hésitaient avant de revenir. Il y avait bien quelques enfants de divorcés dans le voisinage, mais j'étais la seule née de père inconnu, ou distrait. C'est dire toute ma cinglante singularité. Une vraie tête de liste. J'entendais parfois qu'on me qualifiait, sournoisement, d'« enfant light ». C'était gracieux, et surtout très chic… En somme, j'étais bancale. Il me manquait un alliage, une frontière en amont, autant dire une assise.

Au lycée, je culminais dans le classement annuel. Régulièrement deuxième. Jamais première, pour ne pas attirer plus encore l'attention. Baccalauréat littéraire, je voulais être magistrate, l'instruction ou les réquisitoires. Ma mère était avocate, je préférais fouiller et comprendre, ou alors charger pour obtenir des réparations et peut-être un rachat. Elle testait quelques-unes de ses plaidoiries sur moi, je lui donnais la réplique, je me faisais pour elle l'avocat du diable. Je contrecarrais ses arguments, elle modelait les siens à mes remarques, lorsqu'elles étaient fondées. Parfois elle s'effrayait de mes lucidités. Je lisais ses dossiers et j'apprenais le droit. Je prenais ainsi de l'avance. C'était moins assommant que mes cours. Un jour, après l'une de nos fameuses joutes d'éloquence, je lui ai demandé si elle serait capable, si l'occasion venait à se présenter, de prendre la défense de « mon père ». Elle m'a répondu en pâlissant un peu : « Et toi, pourrais-tu le juger, pourrais-tu le condamner ? »

Je connaissais mon histoire et l'archéologie d'avant ma naissance. Ce genre d'épopée ne s'oublie pas. C'est increvable, ça encombre, et ça vous escorte toute une vie. Une couche de pelures, qui isole... Ma mère venait d'obtenir son bac, elle était joyeuse, c'était la fin du lycée et les promesses de l'université. Elle y entrait avec une mention. Ses parents étaient très fiers, une légion d'honneur méritée pour leur éducation irréprochable, sévère mais juste. Les vacances s'annonçaient bien. Farniente, famille et campagne. Plus qu'une devise, tout un plein été. Le Lubéron. Avant la mode. Celui qui ne s'attendait pas à devenir si vite mon grand-père, était chirurgien. Une sommité, un Professeur émérite. L'orthopédie était son art. L'été, il faisait des allers et retours entre Paris et la maison familiale. Sa femme était rentière, elle aurait pu travailler. Pour passer le temps elle peignait, et s'occupait des pauvres. Elle était sincère et cultivée. D'ailleurs plus dans la compassion que dans son art de dilettante. Mes grands-parents : l'austérité et le fantasque associés. Beaucoup d'humanité et d'amour aussi. La véritable passion de ces deux-là, c'était l'autre... Ma mère et sa sœur habitaient ces belles âmes. Cette dernière était l'aînée, de deux ans. Elle voulait épater son père, alors elle faisait médecine. Le Professeur se voyait à la tête d'une lignée, une dynastie de praticiens hors pair. Ma mère, en lui annonçant son penchant pour le Dalloz, préféré au Vidal, ébrécha son ardeur clanique. La dynastie devint une simple lignée... La rue d'Assas, à Paris. Bon emplacement pour une bonne faculté, les jeunes crétins d'extrême droite et leur prosélytisme ordurier mis à part. Le Professeur ne s'en souciait pas, sa cadette était largement capable de distinguer les idées politiques des vagissements. «Va pour le prétoire et les exploits de la vérité», avait-il dit en lui offrant la collection complète des petits livres rouges.

Le combiné du téléphone est devenu moite. Il a dit : «Pourquoi je ne l'ai pas su plus tôt?» Sa question m'a fait du bien. Il ne se défilait pas. Il n'exigeait pas de preuve. C'était vertigineux, il était assommé. Je le sentais, il titubait. Il a ajouté : « Quel gâchis. » Et puis : « Il faut que je vous voie, le plus tôt possible… » J'étais aphone. J'avais des kilomètres de questions à lui poser. Je voulais savoir si j'avais des frères et des sœurs, s'il était marié et ce qu'il faisait en Angleterre, s'il pensait quelquefois à ce 14 juillet, s'il se souvenait du visage et des yeux de ma mère… Etre indiscrète, sans l'alarmer. Mais plus rien ne sortait, j'étais desséchée, je crois bien que je frissonnais. Il y avait des échos sous mon crâne. Il désirait me voir, il avait très envie de me rencontrer. Comme ça. « Le plus tôt possible. » Dans ma parenthèse de vide, il a encore répété, une ou deux fois, vouloir me voir. Il y avait « primordial » dans ce désir. Je pesai le terme, cette urgence. Sa voix était douce, elle m'enveloppait. Je m'en désaltérais. Il y avait des gestes d'attente et d'accueil dans ses paroles. Je voulais lui demander comment il m'imaginait, et je voulais savoir si lui voulait savoir comment je l'imaginais. Je n'ai rien demandé... Il était beaucoup trop tôt pour qu'il puisse m'envisager. Pour lui, je venais de naître. Il allait devoir m'inventer, avec ses échecs, ses fautes et ses écarts. Il bénéficiait d'un handicap sévère de dix-sept ans. Il partait de très loin... Ce n'était pas tout à fait perdu, mais c'était téméraire. Il fallait du caractère, ou alors une grande curiosité. Un emportement. Peut-être aussi un peu de culpabilité. J'ai répondu quelque chose de très vague. J'étais abasourdie par mon « audace » : avant de le contacter je ne m'étais jamais représenté l'après. Mon appel me paraissait irréel. Il a dit qu'il viendrait à Paris dès que je le souhaiterais, « que je pouvais prendre mon temps », il a ajouté qu'il regrettait ces derniers propos. Il a dit aussi que les questions se bousculaient trop dans sa tête, qu'il aimerait entendre leurs réponses en face de moi, si je le lui permettais ; qu'il ne savait pas quoi me dire, là, à distance, derrière un téléphone. Il a demandé mon numéro, je lui ai dit que je préférais le contacter moi-même, un peu plus tard, et que j'allais raccrocher maintenant, que j'étais très heureuse de l'avoir enfin retrouvé. Je me souviens fort bien de ce qu'il a dit avant que ne je repose le combiné : « J'attends déjà votre appel. »

Il était là, et j'étais là. Il savait que j'étais sa fille et je savais qu'il était mon géniteur. Nous étions comme deux aimants qui se repoussaient à force de vouloir se rejoindre. La sensation était étrange. Une réunion de famille aux élans pudiques. Un constat à l'amiable entre deux existences qui auraient dû être communes et qui se retrouvaient aujourd'hui avec un léger différé. Devant la pyramide du Louvre. Endroit de notre premier rendez-vous, la prise de contact... Le vouvoiement était aussi une surprise, très dense et très dérisoire en même temps. Une contenance, nous ne nous étions pas encore apprivoisés. Nos références étaient une vague empreinte lue l'un sur l'autre. Les perspectives visibles. Il m'a entraînée vers un restaurant de la place du Palais-Royal. Pendant de longues minutes nous nous sommes concentrés à décortiquer toute la carte. Je crois qu'on gagnait du temps, en affûtant nos questions. Le serveur est venu prendre la commande. «Mon père» a dit ne pas savoir dans quel ordre procéder. J'ai répondu que généralement on débute par l'entrée, ensuite le plat et qu'on finit par le dessert… L'atmosphère fut moins électrique. Je lui ai dit ce qui me tenait le plus à cœur, à savoir que jamais je ne pourrais l'appeler «Papa». Il n'en fut pas surpris, il répliqua que c'était normal. J'ai cru un instant qu'il allait ajouter : «C'est naturel.» Je devais l'appeler «Benoît», lui m'appellerait «Sarah», puisque tels étaient nos prénoms. Nous n'étions pas vraiment des étrangers l'un pour l'autre, aussi le

41

tutoiement fut-il institutionnalisé. On expédia l'entrée dans des banalités. Mon bac et mon lycée, ma vocation pour le droit et la magistrature. Il a enregistré le lien avec ma mère sans rien dire, un léger sourire, une inclinaison de la tête. Un bref souvenir. Peut-être une nostalgie. Je n'étais pas encore insistante : je ne voulais pas creuser, je décelais juste... Une voix intérieure me vantait le confort de ce choix. Je ne voulais pas que mes mots deviennent irritants. J'avais du mal à le tutoyer. Au café, il me demanda si je fumais, et pourquoi il n'avait rien su, pourquoi personne ne l'avait prévenu... Je jouais avec les carreaux de la nappe, arpentant les angles droits avec mes doigts. Dans un haussement d'épaules, les yeux confondus dans le tissu et les déplacements de ma main : « Vous ne l'avez jamais recontactée, vous n'avez plus donné signe de vie... Ma mère était fière... »

Je le sais, ça peut surprendre. Comme n'importe quelle histoire d'amour, ça a débuté comme cela. Par des vertiges, des pertes de connaissance. Des rougeurs. Tous les deux nous avons essayé d'y échapper, en sachant au plus profond de nous-mêmes que ça finirait par arriver. Je n'ai jamais vu en lui un « père », uniquement un « géniteur » imprévu, c'est-à-dire un étranger, avec toutefois une vague familiarité. Toute la nuance est là. Et cet inconnu, que j'avais cherché et fini par retrouver, m'affolait depuis nos premières rencontres. Lorsque j'étais dans ses bras, j'étais ailleurs. Et j'étais bien dans cet ailleurs. Je faisais ce que je ressentais, et je le partageais avec un homme qui ressentait la même chose que moi. C'était aussi simple que cela... Entre ces bras-là, j'étais enfin chez moi. Affamée, je me risquais sur une pente très chaotique. Je gagnais du temps sur les heures. Une expérience peut-être similaire à l'alcool, ou même à la drogue.

Je m'éclipsais de ma petite vie routinière d'étudiante modèle et je rejoignais avec lui, sans détour, nos olympes cachés. De ces hauteurs inaccessibles, tout me paraissait alors acceptable. Quand nous nous quittions, je ne redescendais pas. Je m'écrasais. Saignée à blanc, et tarie... Ce n'était pas mon premier amant, j'avais eu un ou cinq copains, pas grand-chose, des confluences agréables. A cette époque, j'avais un peu plus de dix-neuf ans, aimer quelqu'un, et puis prendre feu, c'était pour moi un chapitre encore ignoré, un espace à habiter. J'avais vu des films et lu des romans. Je me tenais informée. De l'amour fantasmé, je ne connaissais que les caresses, pas les morsures. Mes chairs étaient tendres. Je loupais l'essentiel. Je n'avais pas une grande expérience dans ce domaine, j'étais novice, et parce que je croyais tout ce que j'avais lu, vu, entendu et supposé sur l'amour, qu'il ne vous saute au cœur qu'une seule fois, j'ai su que je ne pouvais pas le laisser filer. Il ne s'agissait pas d'un vulgaire train qu'on se dispose à manquer en se disant que le suivant fera l'affaire. Cet homme-là, je ne voulais pas le laisser passer, sous peine de perdre sa trace, et de me contenter d'aimer les doubles de son ombre. La distance n'était pas infranchissable, j'avais le sentiment de quelque chose de magnifique, de quelque chose d'introuvable tout autour de moi, et même plus loin, vraiment.

Je m'épanouissais dans mes études, me hissais naturellement hors de moi-même, sans trop m'éroder dans les labyrinthes des jurisprudences à ressasser... Les partiels de février venaient de se terminer, et il se faisait tard. L'avion décollait à l'aube. Je partais à Londres. Dans ma chambre, je finissais de remplir mon sac de voyage. Des vêtements chauds. Il m'avait dit : « Apporte des vêtements chauds. » A ma mère, j'avais annoncé que j'allais rejoindre quelques amis pour de courtes vacances anglaises, des cerveaux magnifiques et bien élevés, qu'elle ne devait pas s'inquiéter. Debout dans la salle de bains, en refermant ma trousse de toilette, je me suis regardée dans la glace. Derrière son grand bureau, la tête légèrement penchée, ma mère travaillait à ses conclusions, je l'ai embrassée sur les joues. Elle a attrapé ma main, doucement, et m'a demandé en souriant si elle le connaissait, ce bel étranger d'outre-Manche. Evasive, j'ai répondu : « Non... Pas vraiment... » Je l'ai laissée à sa besogne dispersée mais stricte, un soir d'ennui et studieux... Sous le bureau, il y avait un tapis ancien, foncé, très grand. Il dessinait son île. Là, elle était solitaire et retranchée. Des yeux, je l'ai embrassée encore une fois, en lui souhaitant bonsoir. J'ai investi ma nuit, je me suis endormie d'un coup. Dans l'avion, j'avais une belle appréhension. « Mon père » m'attendra. Je serai chez lui, dans son décor et ses soirées, dans sa vie...

Mon voisin tentait sa chance, un vieux beau, buriné et flasque. Il parcourait un journal anglais et austère et me parlait en français avec un accent du sud de la Garonne, un original. Quand il m'a interrogée sur ma connaissance de l'Angleterre, je l'ai rembarré : « Et l'Angleterre elle, elle me connaît ? » Il s'est tu le restant du vol, un léger pli à la bouche, pudiquement martyr. Je ne mangeais pas, je ne lisais pas, je ne parlais pas, j'étais nerveuse. Dans les airs, comme dans une prison. L'avion, lui, se traînait, il semblait emprunter des déviations. Londres reculait sans cesse, à moins que ce ne fût la mer qui étirait son désert minéral, repoussant plus loin les côtes, aggravant la distance. La nature avait du génie, je ne parvenais pas toujours à l'aimer, elle sécrétait des vides qu'il fallait combler. Il y a eu un choc, des secousses et j'ai senti la décélération violente. Je me suis levée, une des hôtesses m'a fait les gros yeux, du doigt m'ordonnant de me

47

rasseoir. La sécurité et ses sempiternelles consignes à l'usage des prudents ou des léthargiques. Les bagages furent lents à venir, les sinuosités mécaniques les déroulaient en ordre décousu, le mien toujours refoulé par d'autres, engrappés. La douane fut coulante. De l'autre côté de la porte automatique, Benoît était là. Il me regardait comme seule une main aurait pu le faire... Ce regard était la chair même de ma présence. Je m'arrachai enfin de mon impatience, j'étais sur la terre ferme, rivée à ce qui deviendrait notre secret, de nous encore ignoré. J'allais bientôt être dans ses bras, déposée contre son cœur. Lorsque son souffle s'est mêlé au mien, je ne savais pas que l'amour détruit toujours celui qui lui donne asile. Ni que cet amour-là, plus que tout autre amour, était un narcotique meurtrier. Le « huitième péché capital », comme pourraient le nommer les bien-pensants.

Avant ce premier voyage à Londres, je voyais «mon père» depuis deux ans, régulièrement. Il venait à Paris. Nous apprenions à nous connaître. C'était très ludique. Nos répliques avaient une séduisante indépendance, il n'y avait aucun embarras dans nos apartés. Nos liens de sang ne figuraient pas dans nos espérances. Il était bien trop tard. Pour lui comme pour moi. Irréconciliables par la force des choses et par nos destins éclatés, il nous paraissait artificiel de nous étendre là-dessus, perchés sur une ramification somme toute imposée, souvent subterfuge. Nous n'étions pas des équilibristes, encore moins des archéologues. Il ne s'agissait pas de combler le temps passé, mais de passer notre temps ensemble sans le combler de remords ou de reproches. Il nous était impossible de ressusciter, d'un simple coup de baguette magique, ce que nous ne connaissions pas. Nous avions fait, chacun de notre côté, le deuil des simagrées qui auraient pu travestir nos retrouvailles. Dans ce domaine nous étions bien du même sang… Il n'y avait pas de souffrance, ni de honte, la moindre faiblesse entre nous. Il y avait une alchimie, si mystérieuse, que la pudeur, ou la prudence, nous commandait d'ignorer. Par cette alchimie, et par elle seule, s'élaborait notre destinée en commun, et dans une gestation précise, elle se découvrait d'elle-même devant nous sans que nous ayons à la provoquer. La joie que nous avions à nous retrouver à Paris, à nous parler au téléphone, à nous penser l'un l'autre, ou même à nous languir, cette joie si naïve et indomptée, laissait pressentir l'imminence de notre amour. Une imminence qui s'est étirée sur plus de deux ans, où nous déambulions, l'air de rien, accordant nos pas sur l'ultime embrasement qui s'étranglait en nous.

Je voulais monter sur les tables. Monter sur les tables et hurler. Hurler à tous que cet homme près de moi, cet homme visible, vivait caché et retiré en lui-même. Comme moi. Souvent, j'ai brûlé de le faire, monter sur les tables, là, en public. Affirmer à tous que j'aimais cet homme et que cet homme m'aimait. Mais hurler n'aurait pas été suffisant. Nous étions perdus et isolés, avec la terre à nos pieds, qui ne voyait rien. Tuer, tuer le silence, ou parler à l'oreille d'un mort... Etait-ce une malfaçon, ce qu'on vivait ensemble ? Des nocturnes en plein jour, voilà ce que nous supportions. Nos belles effervescences voyaient en nous ce que d'autres yeux auraient déprécié. Un amour rare. Je savais que j'étais passée au-delà de la zone obscure qui s'étend à la périphérie du champ de pensée de chaque être, de son champ de vision également. Dans cet espace inhabituel et clos, de l'autre côté de l'entendement ordinaire, j'étais libre... Libre, et neuve aussi. Je foulais une planète méconnue, je me sentais pionnière. Attentive à ce qui battait sous ma poitrine. Et le contenu de ce cœur était si grand que mon corps en devenait tout étroit. Alors, je voulais hurler, pour partager ce trop-plein… J'avais une hémorragie à offrir. Et autant de vertiges à étouffer. Mais les mots réprimés, s'ils avaient été déclamés, nous auraient accablés comme l'aveu, fatalement, condamne le suspect. Je désirais être généreuse, par pur égoïsme. Car dans notre clandestinité obligée, je crevais… En public, je voulais que ses lèvres passent de la parole aux baisers, que cette bouche qui me désertait, revienne s'attarder sur mes tempes, me convie, et diffère mes attentes. De loin, quand je l'imaginais, je rêvais de cela, et de près c'était bien pire, je me languissais. Neutres. Il nous fallait rester neutres. Amis, connaissances, voisins, mais pas amants. Nous nous accordions parfois une trêve. On s'effleurait, en pointillés, par des chemins détournés, jamais au grand jour. Au cinéma, je lui prenais la main, et reprenais son souffle. Le cinéma était notre allié, nous y étions encore plus invisibles, évadés de nos règles fixées. Ecroués dans notre secret, loin de tous, nous existions, sans pourtant vivre pleinement. A Paris, nous devions faire attention. A Londres, nous devions faire attention. Je pouvais rencontrer quelqu'un que je connaissais, il pouvait lui aussi faire une rencontre inopportune. On accepte néanmoins de vivre en quarantaine, sans personne autour de soi. Il y a des défauts, mais leur total nous manquait. « Mon père », un jour, m'a dit que notre histoire était une épreuve, et que notre vérité, si elle devait être dévoilée, n'aurait jamais raison de l'immense dépotoir de toutes les opinions unanimes et de la sottise qui les accompagne. Ce jour-là, j'ai acquiescé. Aujourd'hui, il est mort et dispersé. Et je n'ai pas changé d'avis.

Quand je me suis réveillée, vers dix heures, sa place près de moi était froide, le soleil inondait notre chambre. Je me suis levée, c'était dimanche, je l'ai appelé plusieurs fois. Il n'était pas dans la cuisine, la salle de bains était vide. Je l'ai trouvé ainsi, sa tête reposait sur son bureau, ses cheveux couvaient des feuilles de papier vierges, ses yeux étaient clos. Il dormait, profondément. C'est drôle, mais aussitôt j'ai pensé à Camus, je me suis dit : « Aujourd'hui, Papa est mort. »

La voiture de la gendarmerie est arrivée, j'avais retrouvé mon calme, je ne pleurais plus. Leurs questions furent routinières et convenues, encombrées de pitié. Le jeune officier voulait comprendre. Il prétendait qu'écouter était sa seule façon de voir. Il avait de l'ambition, et quelques boursouflures. Le médecin a constaté le décès, un simple protocole : j'étais orpheline, il ne m'apprenait rien, le jour de ma naissance je le savais déjà. Le corps de « Papa » a glissé dans un grand sac de toile noire, l'estocade. Son visage a disparu sous la fermeture à glissière, et il y eut un très long silence. Depuis, je survis aux jours qui s'étirent.

Je me suis occupée de ses funérailles, pour qu'il ait chaud une dernière fois, la crémation. La famille, les amis, tout le monde était sur nos traces, cherchant à savoir, prétendant fouiller et interpréter les menus signes. Ils marinaient tous ensemble, ils n'auraient pas pu la concevoir, notre histoire. Ils auraient très vite jugé et tout saccagé. « C'est toujours le cœur qui donne la mort, c'est lui qui lâche en premier. » Au-delà, je n'ai rien dit, pas de discours, et pas de confidences. J'ai fait la morte. C'était de circonstance. J'ai conservé les mots de passe et les mots d'amour, continué d'abriter nos métamorphoses secrètes. Après avoir répandu les cendres dans la Seine, je suis partie à Londres, affronter le vide d'un passé défunt, trop présent. Loin de la famille, des amis, des traces. J'accompagnais ma tristesse, je ne trahissais pas sa course. Je prenais des calmants, des somnifères, des averses d'alcools forts, c'étaient mes sépultures hésitantes. Je me réveillais la nuit, trébuchais dans l'air nocturne, l'obscurité des drogues, et celle de ma propre noirceur. Alors, j'allumais les lampes. Je n'étais pas hors de cause : je savais pourquoi « Papa », mon bel amour, ma jouissance, était mort.

C'était un lundi matin, lorsque j'ai annoncé à ma mère que celui qui fut par distraction « mon géniteur », n'était plus. Je lui rapportais un bref fait divers et la souvenance d'un départ précipité. Les reliefs d'un cœur brisé par négligence, la préhistoire de sa vie d'adulte. Il me sembla l'avoir vue grimacer, comme si elle respirait du vinaigre. Défigurée par ce petit arrière-goût acide. « Comment est-il mort ? » J'ai répondu : « Brusquement... » Je lui tournais le dos, je regardais les fines moulures du plafond pour ne pas pleurer. Elle a dit non à ma question, elle ne viendrait pas aux funérailles. Je ne bougeais plus, si je l'avais fait, je me serais brisée. Elle m'a entourée de ses deux bras, je me suis blottie contre elle. Elle me parla longtemps, sans, je crois, me deviner entièrement. Ses mots m'éclairaient plus qu'ils ne me touchaient. Elle m'a fait asseoir. Nous avons bu du café. Il avait la saveur des choses clémentes. Elle attendait que je lui parle. Le silence cherchait un abri. Alors c'est elle, de nouveau, qui a parlé. « Je savais que tu le voyais de temps à autre, que vous vous rencontriez à Paris… J'en étais heureuse pour toi… » J'ai levé la tête pour la regarder, je l'ai remerciée de ne jamais m'avoir dit quoi que ce soit, de m'avoir laissée seule avec ma décision de le retrouver. Je me suis alors retirée dans ma chambre, après lui avoir demandé si nous pouvions discuter de tout cela un peu plus tard. J'ai dit que la cérémonie se déroulerait dans son village, dans l'arrière-pays niçois.

Il a fallu manœuvrer. L'Eglise affirme ne pas aimer les «morts violentes». L'Eglise est pudique. Un compromis fut pourtant vite trouvé... Pour ma part, cela m'importait peu, cérémonie religieuse ou pas, je n'avais aucun faible pour les génuflexions et les soumissions assistées. Je suis restée à l'extérieur de la chapelle, pour ne pas être associée à ce carnaval. Les «grands-parents paternels» ont insisté pour que cela se déroule ainsi. Le «repos de son âme» avait bon dos, elle devait ronronner d'aise à écouter ces fables. Si l'âme est une et circulante, sans doute la sienne hante-t-elle encore les parents de «mon père»... Ils sont décédés quelques années après, sans précipitation. Naturellement et par usure. Je ne les ai vus qu'une seule fois, le jour de la crémation, après les prières. Ils sont entrés dans ma vie, escortés d'un cadavre frais, ils en sont ressortis après m'avoir remis l'urne qui contenait les résidus de la combustion... Ce n'était pas la meilleure façon d'être liants. Ils éprouvaient de la suspicion à mon égard, un peu d'agressivité aussi. Ils devaient me tenir pour responsable du décès de leur fils unique. C'est moi qui leur avais téléphoné, pour les avertir de la mort de Benoît, le matin maudit de sa fuite. Il y avait une note près de l'oreiller. Je l'ai vue en refaisant le lit, avant que les gendarmes n'arrivent. Elle était manuscrite, trois phrases, aucune explication, des instructions brèves et une liste de parents, amis, et autres personnes à prévenir. Au-dessus de sa signature, détaché du reste, il y avait en grosses lettres noires : « Je te demande pardon. » En dessous, il avait écrit ce souhait que je prenne ses cendres et les disperse dans la Seine, depuis ces ponts où nous aimions tant nous promener. A la sortie du crématorium, ma « grand-mère » m'a demandé : « Pourquoi ?... » Je n'ai rien répondu, prise en flagrant délit de mystère, je l'ai juste regardée dans les yeux. En pleurant, elle a ajouté que j'étais « inhumaine ». Mon « grand-père » m'a accompagnée à la gare. Durant le trajet, nous avons été peu bavards. Il voulait lier connaissance, que je sois une des leurs. J'ai fait de mon mieux pour lui dire que cela ne servirait à rien, à peine à être un peu plus malheureux et que le malheur ne se partage pas ; et dans ce domaine j'avais une certaine avance. En le quittant j'ai dit que je ne souhaitais pas faire peau neuve, que j'étais déjà assez éparpillée, et que ma famille me suffisait. J'ai ajouté que les absents n'avaient pas forcément toujours tort, tort d'être absents, que la distance qu'ils avaient choisie leur donnait de l'essor, de celui dont ils ne disposaient pas de leur vivant. Je ne l'ai plus jamais revu. Dans le train qui roulait vers Paris et ma mère, j'ai reconsidéré cette journée pénible.

Autour de moi, s'était tenue une petite assemblée de stupéfaits. Personne : parents, amis, et les autres, ne savait avant cette journée que « mon père », que Benoît, avait eu une fille. Personne, à part ses propres parents. L'effet de surprise fut vraiment garanti. Ils avaient un mort à honorer, et sa postérité à digérer. Des pans d'ombres pour de très longues conversations... Tous me tournaient et me retournaient entre leurs yeux, des têtes renversées, beaucoup de mots sourds. De la compassion et aussi des fards amicaux, je n'esquivais rien, c'était chaud. Une drôle d'impression, embarrassante aussi, comme celle d'être observée par des inconnus reclus derrière une haute fenêtre, et qui, se sentant très vite repérés, feignent alors l'immobilité. J'étais une vraie apparition, un peu gauche. Jamais naissance, pour eux, n'avait été aussi brutale, ainsi surgie d'outre-tombe. Ils avaient tous respecté ma réserve, je n'étais pas expansive avec

61

ces étrangers. Sur le parvis, à la sortie des sermons, j'étais demeurée à l'écart, mes « grands-parents » se sont approchés pour me regarder, les joues dévorées de larmes. La ressemblance nous dispensait des présentations. Au téléphone, j'avais décliné leur proposition de venir m'accueillir à la gare. Nous nous étions donné rendez-vous à l'extérieur de l'église. Ils ont été choqués quand je leur ai dit que je n'entrerais pas à l'intérieur. Pour couper court à leurs pénibles efforts, j'ai assené que « je ne croyais pas à ces bouffonneries… ». J'avais mal pour eux. Ils perdaient un fils et se découvraient une petite fille impie. « Mon père » leur avait écrit quand il a su qu'il allait mourir. Ils ont reçu sa lettre, trop tard, entre la mort et les flammes. Ils espéraient des motifs, ma version de cette épouvante… « Je n'ai rien à ajouter à la lettre de Benoît. » Ce fut une surenchère lacrymale, presque du sang dans les voix. J'ai dit que j'étais désolée, mais qu'il n'y avait rien d'autre à adjoindre aux écrits de leur fils qui ne fût déjà exprimé par lui. Le parvis s'est vidé. La crémation était une affaire « de famille ». Il a fallu repartir pour la ville de Nice, délaisser le village, le pesant des attentions curieuses. J'ai demandé l'adresse du crématorium, rejoint le taxi, je voulais être seule. Toute entièrement seule. Le cercueil a glissé sur des petits rouleaux cylindriques, englouti par la fournaise. La lourde porte d'acier s'est refermée ; à travers le hublot, les flammes étaient orange. Je me suis assise par terre. Quelqu'un m'a donné de l'eau fraîche, tapoté le front et les joues. Dans le train, j'ai serré contre moi le sac qui contenait l'urne, tout le temps... J'ai aussi pensé que ce jour-là, pour la première fois, j'avais eu le sentiment d'être la fille de « mon père »... Dans le regard des autres, lors d'une cérémonie funèbre. La seule et unique fois de ma vie.

Ma mère ne m'a pas surprise. Elle fut comme elle devait être. Elle ne me posa aucune question sur la cérémonie. J'ai rangé l'urne sur le parquet, sous mon bureau, dans ma chambre. J'allais passer une dernière nuit avec Benoît, avant que coule notre histoire sous les ponts de Paris. J'ai demandé à ma mère si elle avait envie de le revoir une fois. Elle m'a répondu qu'elle ne savait plus qui il était.

J'ai arrosé la Seine de ses cendres. Personne ne passait, ne regardait. J'ai cru voir la couleur de l'eau changer et les berges arrondir leurs bras autour de lui pour l'avaler. Je suis descendue sur le quai, l'urne a tournoyé un peu, s'est inclinée et elle a coulé. Je suis restée jusqu'à l'aube devant la nuit. Les pavés m'attachaient. Le vent entrait parfois tout autour de moi sans désarmer. J'attendais un signe qui me permette de partir. Je ne sais pas ce que j'attendais. Une voix montait de moi, elle accablait l'air d'un autre nom que le mien. Je ne pouvais pas lutter contre elle. C'était comme une chaîne de feu sous mon front et qui résonnait dans tout Paris. Sur mes mains, entre mes doigts, sur mes vêtements et sur mes cheveux, je cherchais des poussières de cendre. Des indices de mon crime. J'étais devenue une meurtrière. J'avais tué « mon père » et mon amour et mon amant. Je ruminais cela depuis des heures, là, plantée sur un quai désert et froid. Un peu étourdie, à l'instar d'une coupable qui sait qu'elle ne sera pas traquée, car il n'y aura pas un seul individu sensé pour croire en son histoire. L'assassinat était d'autant plus irréprochable que je l'avais inspiré sans toutefois le réaliser. « Mon père », lui, l'avait exécuté. Je lui avais octroyé une procuration. Il en était mort. Sur le coup. D'un coup. Sans m'avertir. Complice et muet devant l'éternité... Je restais pétrifiée de savoir que j'avais pu perpétrer un meurtre sans même tuer de mes propres mains. Uniquement en aimant et en étant aimée de retour. Le crime parfait, de ceux que l'on n'apprend pas dans les facultés de droit.

J'ai envoyé une longue lettre à une amie, j'aurais pu aussi bien lui parler, mais les mots avaient tendance à périr sous mes larmes et je me fabriquais des silences. Je lui racontai un homme que j'aimais et qui trouva la mort de le savoir. Elle fut une bonne lectrice, elle respecta ma discrétion. Ma lettre était confuse, presque indigeste. Je la rédigeai sans trop réfléchir, pour que sortent ces pensées qui avivaient ma rage. Je vomissais les phrases dans un très grand désordre. Je lui confiai la haine que m'inspirait cet homme pour s'être désisté si vite et pour avoir décampé si loin, vaincu par une passion trop forte pour lui. Je lui dépeignis cet asile de malheur où je végétais depuis; et cet infâme salaud dont j'enviais pourtant l'état, puisqu'il ne s'apercevait plus de rien, et moins que tout de sa condition de mort. Je lui disais qu'il s'était adjugé le beau rôle, et maintenant peu lui importait la souffrance qu'il semait tout autour de moi comme autant de lourdes chaînes qui m'entravaient, comme autant de bornes me ramenant sans cesse à lui. J'ai ajouté souhaiter le voir naître à nouveau, afin qu'il puisse goûter à la terrible désolation laissée derrière lui. Tout cela était banal, je le savais bien, ma peine en était le prétexte.

Pendant des mois et des mois, je ne parvins plus à m'endormir. Alors, je sortais de moi et je faisais l'oiseau. Je volais au-dessus de Paris, au ras des toits et des monuments. Je repérais un endroit dans la ville et je décollais de ce perchoir. J'ignorais le détail des rues, leurs voitures, les gazons et les flèches des arbres. J'aimais planer les jours de pluie, dans le ciel délabré, la bouche grande ouverte, entre l'air et les vagues d'eau douce. Je ne volais pas vite, je prenais mon temps, je flânais haut, portée par les bruits de Paris. Je ne prêtais pas attention à la voûte sombre des nuages, seul comptait pour moi le solennel agencement des immeubles posés comme des falaises lumineuses que je frôlais de mes ailes. La plupart de mes vols s'effectuaient en direction des deux îles. Je dessinais de grands cercles au-dessus de l'île Saint-Louis ou de l'île de la Cité. Très lents et très simples, un chemin de ronde de carte postale, à vol d'oiseau les distances sont très courtes. Les jumelles me montraient leurs paumes, la rue Saint-Louis-en-l'Isle en était la ligne de vie. Les projecteurs de Notre-Dame et ceux des bateaux de touristes m'aveuglaient parfois. La Seine scintillait entre les voies qui la rabotent. Ses ponts respiraient dans leurs reflets éclairés. Je ne me posais jamais ; épuisée, je m'endormais avant... C'était quelques semaines après le décès de Benoît. J'étais parvenue à enrayer le désespoir et ses palliatifs artificiels. J'étais désormais persuadée que la mort, pour certains, devait apparaître comme le plus grand bonheur de toute une vie. Un soir, j'ai enfoncé ma tête dans l'oreiller, j'ai fermé les yeux et j'ai décollé aussitôt. Je n'ai jamais identifié l'oiseau que j'étais. Le matin au réveil, chez moi, près du canal Saint-Martin, je me souvenais parfaitement de ce premier survol des lieux où nous avions pris l'habitude de marcher Benoît et moi. Je m'étais jetée depuis le sommet du Louvre et j'avais rejoint, par les quais de la Seine, l'île Saint-Louis. Derrière mes paupières closes, ma mémoire me projetait tous nos pas, toutes nos promenades, tissant le fil d'un temps joyeux, au regard prisonnier. Je nous voyais aux terrasses des cafés, nos mains s'effleurant sous les tables, j'entendais nos conversations qui prenaient le large, leurs mots sucrés plantés dans mon cœur, Capitale de la douleur... Lors de cet envol inaugural, j'étais allée pirouetter sous la nef de Notre-Dame, vidée de ses touristes, pour ressusciter un soir de novembre glacé, où pendant la messe de dix-huit heures, je l'avais entraîné de force dans un renfoncement pour l'embrasser et lui faire l'amour, bercés par les cadences des chants bénits.

Pendant des mois et des nuits, sans aucun plan de vol, j'ai fait de la voltige au-dessus de Paris, les yeux fermés, pour retrouver un semblant de sommeil. Tout à perdre, Benoît retenu en moi, acceptant de vivre.

Je n'étais pas lâche, j'étais juste médiocre... Je me disais chaque matin que la mort n'était pas la plus à plaindre, c'était sur la vie qui se poursuivait, qu'il fallait avant tout s'apitoyer. Tout me désertait et respirer alors devenait une imposture. Je m'acharnais dans ma survie comme dans une pièce dont la porte aurait été fermée à double tour. L'oubli me contournait et m'épargnait. La mort me tapait sur tout le corps. Le symptôme était somme toute classique. Je faisais de détestables efforts pour stimuler son extrême lenteur. J'étais vivante, à n'en plus finir. Et au fond de moi, je voulais le demeurer. Je déchirais chaque matin une de ses photographies. Je déclinais à la baisse mon exaspération en faisant des découpages. L'exercice fut de courte durée. Nous ne nous étions pas beaucoup photographiés avec Benoît. Les photos sont pour ceux qui savent qu'ils se quitteront, ou qui perdent la mémoire. Je pensais que nous avions le temps avant de nous figer en souvenirs. Je découpais en tout petits morceaux son visage, et je voulais qu'il crève... Doucement, sans se presser cette fois-ci, avec moi à l'affût, près de lui, m'imprégnant de cette menace effrayante. En le découpant ainsi, je le voyais jour après jour, s'affaiblir d'un mal mystérieux, patient et incurable. Je dissipais par la raison et mes mensonges la belle allure du fléau dans son corps dévasté, j'encaissais avec des gestes doux, ses cris et ses pleurs, la puissance de ses insultes et les gémissements. Je lui composais une maladie, sans repousser ni commander son inquiétude, mais toujours insistante sur sa folie. A petit feu, en petits lambeaux, il crevait à mes côtés, captif de mes câlines attentions. Je me préparais à accueillir sa mort annoncée dans une agonie touchante, apprenant à la domestiquer pour ne pas qu'elle m'assassine. J'embrassai les mille morceaux de papier glacé et nous nous parlions longuement. On se disait nos derniers mots, toutes ces choses définitives prononcées dans l'aspiration de la mort, avant qu'elle ne l'abrège, ne me laissant que le silence... Je détruisais ses photos, j'incendiais les déchets, en pensant qu'ainsi il n'existerait plus.

Il me manquait ses paroles, ces lieux d'être et d'apaisement. De son absence arbitraire et grossière, était née une présence bien plus brûlante que son corps. En cendres, Benoît était désormais deux fois vivant. Il occupait tout mon espace, toutes mes pensées, il faisait vibrer mes mirages nocturnes. Il avait transformé en néant tout l'amour que nous nous étions offert, et m'avait laissée prisonnière de ce vide, victime quotidienne de ma panique de le savoir à jamais invisible, enfermée dans cette distance entre son silence et ma fureur, cet écart insupportable qui seul nous unissait à présent. Il n'y avait pas encore eu de cadavre autour de moi, ni dans ma famille, ni parmi mes amis. J'avais l'impression que chacun y mettait du sien en faisant de pénibles efforts pour m'épargner cette malédiction. Le simple fait de penser à la mort tuait sur-le-champ tous les mots et représentations à venir, tout cela était trop abstrait. Le dimanche matin, quand je l'ai découvert ainsi, sa tête couchée sur le bureau, j'ai su que la mort était quelque chose de très sérieux, principalement pour celui qui en était le témoin… « Mon père » m'avait légué, avec ma mère, initiateurs insolites de ma conception, ma première sensation de la vie ; Benoît me transmettait seul la primeur de la mort. Je savais qu'on venait au monde sans être consultée, j'appris ce matin-là que cette insouciance l'emportait encore lorsqu'il s'agissait de crever sans prévenir…

Une nuit, je fis un rêve. J'étais enceinte. De sept mois. J'étais très anxieuse d'accoucher. Ma mère l'était encore plus. Je lui parlais au téléphone et elle était surexcitée et fébrile. Sa nervosité déteignait un peu sur moi, je ne parvenais pas à rester sereine. Je devais la rassurer et éteindre tous ses feux… J'étais convaincue, sans aucune raison, que mon enfant allait naître avant terme. Je devais me rendre sur-le-champ à la maternité pour y être examinée. J'étais avec ma mère au téléphone, elle insistait pour m'accompagner, je refusai. Elle me passa alors ma tante. Sa sœur me conseilla, me rassura. Benoît me conduisit seul à l'hôpital. J'entrai dans le hall, une grosse sage-femme me fit pénétrer dans une salle ; au centre il y avait une sorte de table de massage. Elle me demanda de m'y installer, à quatre pattes. Je lui obéissais mais je n'étais pas à l'aise. Je regardai par-dessus mon épaule ce qui se préparait. Elle tenait dans une main une grosse seringue, me pressait d'accepter la péridurale. Je lui criai que je n'étais pas encore sur le point d'accoucher, que ce n'était pas le moment, que je n'en étais qu'au septième mois, qu'elle se trompait. Je hurlai que j'accoucherais quand il serait temps de le faire et que j'avais choisi de donner naissance sans l'aide de l'anesthésie. La sage-femme me fit les gros yeux comme si elle avait une folle en face d'elle. Elle voulut me garder, je lui expliquai que je n'avais pas de contractions, elle s'obstinait à ne rien entendre, nous enferma dans la salle pour m'empêcher de partir. Un médecin entra dans le cabinet et tenta de me calmer, il me dit que quelque chose n'allait pas, qu'il désirait m'ausculter, m'annonça qu'il fallait sortir au plus vite le bébé, que c'était urgent. L'enfant fut expulsé par la voie naturelle. Je ne sentais rien. Je ne le reconnaissais pas, il était beaucoup trop tôt, ce n'était pas vraiment une naissance. Le monceau de chairs et de sang qui trônait sur moi, je ne le voyais pas comme mon enfant. Le docteur coupa le cordon ombilical car le problème venait de là, il semblait satisfait, très satisfait de lui, me dit que tout allait bien maintenant, que le nourrisson était sauvé et que je pouvais vite le remettre dans mon ventre. Il me demanda de m'accroupir et de le faire rentrer sous la peau de mon ventre. Je ne savais pas comment m'y prendre, il m'expliqua que je devais le pousser la tête la première.

J'essayais de toutes mes forces de l'enfoncer, de l'engloutir, de l'aspirer vers l'intérieur. De le reloger dans son moule encore chaud. Mon corps ne voulait plus s'ouvrir, il l'avait déjà fait pour quelque chose provenant de ses entrailles mais il refusait à présent de se déverrouiller à nouveau pour quelque chose qui s'avançait depuis l'extérieur... Je m'affolai et suppliai le médecin, je lui dis que c'était impossible, qu'il nous fallait trouver autre chose. J'avais devant les yeux l'image d'un petit poisson hors de l'eau et de son cordon coupé. Je plantai l'enfant dans le sol et je m'assis dessus, il résistait et refusa de se laisser avaler. Le médecin m'annonça que le seul moyen de le renicher dans mon ventre, était de me fendre. J'acceptai. J'aurais dit n'importe quoi. Je me couchai sur le dos, je m'offris au scalpel et aux écarteurs. La grosse sage-femme me souriait, elle me glissait dans l'oreille que l'accouchement se déroulerait de la même façon, que mon ventre serait incisé, fendu et béant, et que de cette incision il me resterait une cicatrice... Terrifiée et en larmes, je lui dis qu'un enfant de sept mois n'avait peut-être pas vraiment besoin d'être réimplanté dans sa matrice pour vivre...

« Mon père » ne s'était jamais marié. Il disait n'avoir jamais trouvé l'amour ni la femme qu'il gardait au fond de son cœur, c'était un rêveur. Il se dérobait sur des filles qui s'éloignaient toujours davantage. Il suivait le courant de ses désirs et les vaines nécessités des nuits à passer, et lorsqu'il s'endormait sur les fines épaules d'une beauté, c'était par ennui... Rares étaient celles qui savaient se faire aimer de lui. Le meilleur restait invariablement à dénicher, et loin d'elles. Il était un parfait collectionneur de la nature palpable, dispensant ces riens charmants, essentiels à la séduction. Il y eut aussi des échecs, bien sûr. Il les favorisait lorsqu'il me racontait sa vie. Il leur trouvait plus d'intérêt que toutes ses bonnes fortunes. Il était très loquace et ironique sur ses belles conquêtes ratées, c'étaient d'ailleurs celles dont il se souvenait. Il discernait dans ces occasions gâchées l'espoir que l'amour n'était rien d'autre qu'une exquise fantaisie à qui savait la saisir. En riant, il m'affirmait avoir peut-être laissé s'échapper la femme de sa vie dans toutes celles qu'il n'avait pas su ou pas voulu convaincre… Quand il me racontait cela, il ne semblait pas triste, mais comme stupéfait de sa propre clairvoyance. Je n'ai jamais su s'il en souffrait parfois.

Lorsque nous fîmes l'amour la première fois, il n'avait pas réussi à dormir. J'en déduisis qu'il allait m'aimer. Moi qui l'aimais déjà, depuis longtemps. Il était resté éveillé jusqu'au matin. Je ne m'en étais pas aperçue, entraînée par ses paroles et ses dernières caresses, le sang aux joues ; tout me coulait dans le cœur avec le sommeil. Il se tenait à moitié assis, la tête appuyée contre le mur et les yeux grands ouverts, à l'autre extrémité de notre lit, quand j'ai enfin ouvert les miens. Il m'a dit : « Je n'arrivais pas à dormir. » J'ai voulu me coller tout contre lui, il s'est levé, je me suis glissée à sa place. Il a refermé la porte de la chambre, je me suis brûlé le regard sur cette porte... J'avais eu l'initiative des premiers gestes. Nous savions, je crois, que c'était inéluctable. Je l'ai embrassé sur la bouche en lui demandant d'oublier qui nous étions. Je me souviens avoir pensé que nos deux langues, longtemps en exil, retrouvaient entre elles le goût et les attaches des passions entrevues mais jamais atteintes. Je me suis détournée de ses lèvres pour l'observer un peu, mon impatience à l'embrasser me précédait encore. Je ne voulais plus être raisonnable, je voulais rattraper le temps perdu. Il y eut entre nous un silence si doux, qu'aucun souffle ne pouvait flétrir ; nous étions deux êtres tremblant de la peur de nous avouer que nous allions réaliser et prouver l'impensable. Nous allions nous aimer. Lui, « Mon père », et moi, « Sa fille »... Mes gestes étaient précis. De mes hanches, j'ai fait glisser ses mains plus haut, ne sachant pas que sa fièvre les rendrait aussi légères. Brusquement, l'on s'avisa à être heureux et à capituler. Ce fut très retenu, presque craintif. Nous sommes restés sur nos bords respectifs. Il avait du style et aussi des pudeurs. Il se soustrayait de sous mes doigts.

Entre notre première nuit ensemble à Londres, et la dernière dans sa maison en Bourgogne, la veille de sa débandade précipitée, une année entière s'écoula. La plus belle de ma vie. Jusqu'à présent. Il est mort le second dimanche du mois de février 1992. J'allais avoir vingt et un ans. Peut-être était-ce une chance. Une vie qui s'absentait, pour en affranchir une autre. On saigne un temps, mais on persiste à être marquée par un destin, tous ces chemins que forme la marche aveugle de nos pas. Des voix, des mains, des odeurs ont remplacé quelquefois ses mots, son parfum et sa peau. Ces hommes, après lui, étrangers tous prêts pour un lendemain, refuge d'une nuit, sont passés sans mourir. Ils avaient la portée d'une virgule dans le vent... Je ne les méprisais pas, je m'en servais juste pour ne pas planer au-dessus de Paris, pour laisser Benoît reposer. Certains furent très aimables, d'authentiques remontants, ils rénovaient mes intérieurs, en détendaient les ressorts... Ce défilé d'hommes semblables respirait un air frais qui apaisait fort bien ma mélancolie. Ils me parlaient beaucoup, ils disaient m'aimer ; les discours sont le privilège des bruyants.

J'ai conservé la maison qu'il avait achetée en Bourgogne. Un notaire est venu me voir, j'ai signé des papiers, les droits de succession avaient été réglés à l'avance par « mon père ». J'étais propriétaire et je terminais ma licence de droit. Après sa mort, j'y ai passé l'été. Seule, à réviser mes examens pour septembre. Ma mère ne voulait pas venir. En arrivant, je suis allée à Toucy, faire le marché. Des Parisiens s'extasiaient devant des bouquets de petits artichauts violets ; j'étais gênée d'être parisienne. La fromagère m'a demandé gentiment : « Votre ami n'est pas avec vous aujourd'hui ? » Je lui ai répondu qu'il était mort. Elle a ajouté : « Ah... », et elle a baissé les yeux sur sa balance... Benoît avait acheté cette maison l'été précédent. Elle appartenait à un couple de médecins marocains qui vivaient à Londres l'année durant. Elle était située à plusieurs centaines de mètres du village, au milieu des champs, non loin de la forêt. Notre première visite dans ce village me fait encore sourire. Ce fut une véritable parodie champêtre dans laquelle nous figurions les étrangers de la ville. L'unique café ouvert le dimanche, vers six heures le soir, inévitablement sur la place, en face de l'église. Nous buvions des sodas en jouant au baby-foot. Tout autour de nous, des hommes plus ou moins éméchés nous regardaient, directement ou discrètement, les plus hardis s'accoudaient même au baby-foot. Ils sentaient la sueur et l'anis. Le patron du bar nous faisait des signes de la tête, pour signifier qu'ils étaient plus turbulents que belliqueux. Benoît alors me rappela le film de Boorman, *Délivrance*. Nous avons eu du mal à ne pas nous étrangler dans notre fou rire en cherchant lequel de ces types aurait pu tenir le banjo...

J'aime cette maison, les pièces sont vastes et nombreuses, je les occupe toutes, à l'exception de la chambre où nous dormions et du bureau qui l'a vu mourir. Condamnées, elles me servent de débarras. Après mes études, quand j'ai obtenu mon premier poste de juge d'instruction, j'ai acheté de nouveaux meubles et fait installer le chauffage central, des radiateurs en fonte. Maintenant je peux y séjourner régulièrement, peu importe la saison. Benoît arrivait de Londres et nous nous retrouvions à la gare de Lyon pour prendre tous les deux le train pour Joigny. On s'amusait à ne pas composter nos billets, il n'y avait jamais de contrôleur dans le dernier omnibus, après on allait se faire rembourser... Nous arrivions tard le soir à la Tuilerie. C'était une ancienne fabrique de tuiles du siècle passé, par la suite reconvertie en ferme. Le cérémonial ne variait pas, nous allumions un feu dans l'une des trois cheminées, dans la plus grande des pièces, celle qui jadis abritait les vaches, les veaux, les chevaux. L'odeur de la fumée, la lumière dans les crépitements et la chaleur entre ses mains. « Il faut soutenir les vignerons locaux. » Il ouvrait alors une bouteille et nous servait du vin de Bourgogne. Nous restions là, côte à côte, sans aller trop vite, sur la pointe des pieds, avec la crainte de tout rendre commun en faisant trop de bruit. Son regard sur moi élucidait mon désir. J'annonçais mes caprices pour déchaîner ses préférences. Je l'apprenais par cœur. La nuit passait dans la confusion des heures et de nos abandons que notre audace éternisait.

Il m'arrive encore, plus de dix ans après, de tourner la clé dans la porte de cette maison, de la pousser, et de crier les deux syllabes de son prénom. Et puis je me regarde dans une glace, je ne doute pas de ce visage, il ne me reste rien. J'ose me pencher, et je commence à me prendre en pitié. L'amour mort me dicte encore son inventaire, dans l'infinité de ses teintes, planté dans mes cordes vocales, un autre déluge de syllabes... J'abuse de la compassion pour oser me secourir. Je sais ce que couvrent toutes mes grimaces dans le miroir, elles m'indiquent que j'existe et qu'il me faut feindre ce que je dédaigne.

C'est vers seize ans que je me suis réellement décidée à retrouver « mon père ». J'y songeais depuis longtemps, mais je ne me sentais pas encore disposée à le reconnaître. Avec le recul, je me demande parfois si Benoît serait encore en vie si je m'étais résolue à le joindre quelques années plus tôt, lorsque je n'étais qu'une enfant. A d'autres moments, je pense que notre destinée aurait été très différente. J'aurais gagné peut-être un copain ou un ennemi, j'aurais perdu une belle histoire d'amour... Je n'aurais peut-être jamais connu une telle adoration, ou alors de manière plus ordinaire, sans hardiesse particulière. Cet amour-là... Cet amour-là, était une véritable mise à mort réciproque.

Personne dans ma famille n'ignorait le parcours de « mon père ». Ma tante la première. De loin en loin, elle suivait ses traces. Lorsqu'elle l'apprit, ma mère s'en offusqua. « Sarah bientôt voudra savoir qui est son père. » Ma mère acquiesça, et ne voulut pas en savoir plus. Le débat fut clos. Ma tante eut le champ libre pour compiler ses relevés d'empreintes. Elle les tenait à ma disposition, mais je prenais mon temps, j'essayais d'être aussi forte que ma mère : je n'avais nul besoin d'un homme dans ma vie. Je m'immisçais dans son passé comme un terrassier progresse dans sa tranchée. Lorsque j'étais plus jeune, en sixième ou en cinquième, seule le soir dans ma chambre, je prononçais le mot « Papa » en insistant bien sur les deux syllabes. J'étais insolente, je pensais ressentir le ravissement et la tendresse liés à ce mot, je ne décelais en moi que de l'indifférence. Pas même une gratitude pour celui qui m'avait donné la vie. Je ne me forgeais pas une contenance de colère ou de mépris, je ne comblais pas à coups de vanité l'absence d'un père auprès de moi et auprès de ma mère, j'étais tout simplement incapable de m'imaginer avec « un père ». Je ne pouvais pas souffrir d'une telle carence puisque je ne savais même pas me la représenter. Un peu comme une aveugle de naissance est impuissante à s'inventer l'espace qui l'entoure, même si on le lui décrit avec la plus précise méticulosité. Quelquefois, je m'efforçais « d'être normale », je cherchais à pâtir de toutes mes forces de cette privation, je m'inventais des tonnes d'histoires tristes, je m'ingéniais à vouloir pleurer. Mais une main me serrait la gorge et arrêtait les larmes au bord de la plaie.

Le mois de juin m'imposait la dictature de la fameuse « Fête des pères ». Cette routine m'excédait. Les rues, les vitrines des magasins, la publicité à la télévision et dans les journaux, m'agressaient. Ma mère était venue avertir la directrice de mon école primaire que je ne voulais pas participer aux ateliers de poteries en coquillettes et de pots de yaourts peints. J'en fus dispensée. Je me suis alors investie dans le travail des autres, je les conseillais dans le mauvais goût et je flattais leurs odieuses réalisations. Au collège, j'y pensais déjà un peu moins. Sauf en septembre, qui demeurait un instant pénible : les impérissables petites fiches à remplir, la profession du père, en cas de divorce ou de séparation, ses coordonnées au domicile et aussi au travail. J'écrivais « Père inconnu ». A côté d'« Avocate », ça contrebalançait bien. Les professeurs, même au courant, sourcillaient, comme un médecin découvrant une anomalie. Avec mes camarades de classe, ça débutait par l'ère du soupçon. L'étiquette « Père inconnu » était immanquablement liée aux mœurs présumées légères de ma mère. J'y mettais un terme en martelant, là aussi, qu'elle était avocate. Cette appellation, beaucoup plus que ce qu'elle représentait, était magique. Ce simple titre forçait le respect, il préludait à la fin des intrigues et à la retenue dans les commérages... J'étais certes une bâtarde, mais une fille de « notable ». J'étais finalement acceptée partout, avec mon excentricité, cette partie de ma vie méjugée et ingrate. Quand j'étais invitée chez des amies, je savais que j'étais, pour leurs chers parents, « Celle qui ne connaît pas son père... ». C'était en vérité une couleur de peau, une origine exotique qu'on annonce bien à l'avance pour ne pas inspirer le choc de la surprise et s'affliger après les déceptions des commentaires. Il y avait de l'affection chez eux. Même dans les bonnes intentions, mon statut particulier était marqué... Vers onze, douze ans, j'ai pris conscience que rien n'était prévu pour ceux qu'on avait catalogués : « Différents ». Mon étrangeté était l'élément central de mon identité, et tous se rapportaient à elle... Je demeurais impuissante à modifier le regard qu'ils portaient sur moi. Et cependant, l'irritation et la tristesse que j'éprouvais parfois, m'apportaient un sentiment préférable au vide.

En sortant du restaurant, nous avions quitté le quartier du Palais-Royal, pour aller flâner sur le pont des Arts. C'était notre première rencontre et notre premier déjeuner en tête à tête. Nous avions tous les deux des accointances nouvelles, et il nous fallait les digérer en les aérant. Nous étions encore hésitants et un peu sur nos gardes. Plus tard, beaucoup plus tard, il m'a confié que pendant cette balade, entre le Louvre et les abords du quai de Conti, il avait éprouvé une immense panique, quelque chose d'impensable qu'il se refusait à vivre et nommer, des attractions qui se trouvaient du côté du cœur, et que lui signalait ma présence tout près de lui. Moi-même, j'étais abasourdie par mon erreur dans ma distribution des rôles. Je pensais rencontrer un homme qui était « mon père », et je me retrouvais avec un homme que je ne recevais pas du tout comme étant celui qui fut « mon géniteur », mais comme un homme, tout court. Je me sentais monstrueuse de constater cela, je redoutais mes futures découvertes, la cadence de mon pouls et la misère de mes mots. En marchant au-dessus de l'eau, je lui parlais et je n'entendais pas ce qu'il me répondait, j'écoutais mon émoi, je ne faisais pas la sourde oreille, toutes les limites étaient anéanties... Nous nous sommes séparés au début de la soirée, à une station de taxis, il regagnait l'aéroport, s'envolait pour Londres. Je suis restée là, à me regarder dans une vitrine. Derrière moi, tout le quartier vibrait, les passants me semblaient accablés, les fenêtres me navraient et certains chiens m'évitaient... Il n'y avait plus de place pour la fin du soir, je ne reconnaissais même plus mes rues, je pensais à ma mère, je lui ai téléphoné pour lui dire que je rentrerais peut-être tard, que j'étais avec des amies et que j'étais heureuse. Je n'osais plus remuer la tête ou cligner des yeux, le moindre de mes mouvements s'achevait en larmes. Une main délicate frappa contre la porte de la cabine, j'ai ramassé mes pièces et j'en suis ressortie en disant : « Tout va bien. » Et j'ai marché. Longtemps. Je n'arrêtais pas de penser à ma mère. A Benoît, aussi. A nos dernières paroles, avant qu'elles ne disparaissent avec lui, la promesse de nous revoir bientôt, la perfection de cette valse lente, mon visage sous ses mains lorsqu'il me fit enfin la bise. Tous les quinze jours, ou alors plus tôt. Il reviendrait à Paris, nous nous parlerions souvent au téléphone. Je pouvais l'appeler en P.C.V., à n'importe quelle heure, chez lui et à son bureau. Il était architecte, il ne travaillait pas seul, ils étaient six, mais c'était son bureau, il en était le principal associé. Ensemble, ils repoussaient les déserts, ils construisaient des curiosités très très onéreuses dans les pays du golfe Persique, agrémentant des villes-oasis où presque personne ne demeure. Je lui avais demandé si les Beaux-Arts n'avaient été qu'une excentricité avant les choses sérieuses. Ce fut juste une manière d'acquérir les thèmes des siècles, la coloration des pierres et les harmonies du passé. Il ajouta que cet apprentissage avait été pour lui une sorte d'échafaudage pour se hisser au niveau de ses Maîtres, non pas pour prétendre les égaler, mais pour tenter de deviner ce qu'ils voyaient depuis ces hauteurs.

Je pensais à ma mère qui dormait dans sa chambre, à l'autre extrémité de l'appartement. Comme à chaque fois que je rentrais tard, elle avait laissé allumées la lumière du couloir, celle de la cuisine, celle de la salle de bains. J'ai eu envie de la réveiller pour lui dire que j'avais rencontré « mon père » dans la journée. Elle savait que c'était inéluctable, depuis que j'avais obtenu de sa sœur ses coordonnées en Angleterre. Son nom, je le connaissais déjà, par ma mère, quand j'avais neuf ou dix ans, je le lui avais demandé. J'ai pris alors mon temps pour l'approcher, je mûrissais. Près d'une décennie. Ce n'était pas une priorité. Je me taisais, pour ne pas user ce nom, l'autre moitié du cadre. Je croyais, à cet âge, que la vie des autres mourait faute de se la représenter, qu'il fallait sceller leurs traits dans le silence pour parer leur destin. Je me contredisais sans cesse, un jour sur deux j'écrivais sur une feuille mon prénom suivi du nom de « mon père ». Le reste du temps, il s'éclipsait au loin, je me forçais à ne pas penser à lui, j'observais ma mère. Je lui imaginais une suite, une fin d'été dans le Lubéron, la remontée vers Paris, Benoît dans son cœur et moi dans son ventre. Je scénarisais l'annonce de sa grossesse et « mon père » amoureux et chaviré, un peu fier d'avoir un enfant à vingt ans, les deux familles réunies, les plus belles vacances de leur vie. Les Beaux-Arts, de Londres, à Paris, encore bien plus beaux ; le grand écart permanent entre les études et la couvée, les grands-mères au baby-sitting et les grands-pères aux finances. Les anniversaires, le mien et celui de leur mariage. Les amis admiratifs et éberlués devant mes jeunes parents. Les congés d'été, chez les uns et les autres, les voyages en automobile, en train, les embrassades sur les quais et les siestes collectives. Un « artiste » et une avocate... et moi au milieu, leur centre du monde.

Je n'ai pas réveillé ma mère la nuit de mon premier rendez-vous avec « mon père ». Je suis rentrée très tard chez moi. J'ai fait des tours et des détours. Je me suis étendue sur le sol de ma chambre, je me savais désormais hors d'atteinte, il me fallait juste receler mon trouble. Je ne l'ai pas réveillée pour lui dire quoi que ce soit, d'ailleurs elle ne s'aperçut de rien. J'ai tout enfermé en moi, comme elle, qui ne s'était jamais répandue, qui ne sortait pas d'elle et restait cloîtrée dans ses zones sinistrées. Là aussi, nous étions bien du même sang... Durant cette nuit-là, je me suis sentie devenir une adulte, une vraie femme, avec ces choses de grande personne. Une légère perturbation, très surfaite. Les mots me manquaient pour les figurer... J'avais bien une explication, mais je ne la comprenais pas. Si je parlais, je me donnais, je me vidais, je m'excluais, je me trahissais, et tout ce que j'aurais pu dire à ma mère, ou même à quelqu'un d'autre, toutes ces jolies choses enfouies que j'aurais pu partager un instant, ne m'appartiendraient plus, d'autres se les approprieraient. Et que pouvaient-ils en faire ?

SECONDE PARTIE

Nous étions allés faire les fous dans le parc d'attractions de Tivoli, là-haut, dans le Grand Nord, à Copenhague. Il voulait aussi m'emmener voir le musée d'Art moderne de Louisiana. Le Guggenheim scandinave, d'après eux. Benoît avait pris une chambre dans l'hôtel de A.J., le Maître de l'architecture moderne danoise. Sur le toit trônaient les trois grosses lettres : S.A.S. Tout le voyage était marqué de ces trois fameuses majuscules bleu foncé, de l'avion pris à Londres jusqu'à l'hébergement, jouxtant la vieille gare centrale des chemins de fer. L'hégémonie de l'air sur le rail, enfin... J'étais encore une profane dans ce que Benoît appelait : « L'architecture fonctionnaliste ». Un courant très en vogue dans les années trente. Après trois jours de visites guidées et d'explications sur les arcanes de cette école, j'étais contente de l'intéresser aux allures des manèges de Tivoli. Cela n'avait rien à voir avec les fêtes foraines que je connaissais, c'était à la fois chic et décontracté. Populaire, mais sans le côté populaire. La soirée fut douce, entre les spectacles et le restaurant. Je n'aurais jamais dû l'amener à Tivoli... Il m'a dit : « Ça vient de derrière moi... Je ne peux plus être ce que tu attends... » Il luttait avec les mots. Je le regardais se briser. Il était très beau, il était bouleversé, marchait sur son ombre, ne tenait plus en place entre les murs de notre chambre. J'ai éteint la lumière et j'ai écarté les rideaux. La ville s'étirait en dessous de nous, confuse dans la nuit dure. Le Tivoli scintillait mais gardait ses distances. J'ai couché Benoît sur le lit, il s'est laissé faire, je me suis mise à califourchon sur ses hanches. Il pleurait. J'ai posé ma bouche sur la sienne, j'ai soufflé au travers de ses lèvres serrées : « Je veux seulement que tu m'aimes pour ce que je suis... » Il m'a fait basculer en dessous de lui, il m'a maintenu les bras grands ouverts, il m'a embrassée, il m'a demandé qui j'étais. J'ai repondu sans penser, d'un trait, tout près de ses yeux, que j'étais juste une femme, une jeune femme qui l'aimait comme une folle et que tout le reste m'importait peu... Mais ce fameux « reste » lui importait encore. Il en était même malade de ce « reste ». Il se corrodait sous ce « reste ». Je le tuais de ce « reste ». Un enchantement mortel au bord du jour...

J'ai attendu qu'il m'appelle. Il ne fut pas très long à le faire. Notre histoire suggérait parfois des rémissions, des caprices, pas de lassitude... Des embrasements de la conscience et des scènes de passion qui n'enviaient rien au théâtre. Il voulait me quitter, ce n'était pas nouveau, c'était déconcertant, par deux fois il avait tenté de le faire. Durant ces digressions, il vivait l'enfer, et moi, le pire désœuvrement. J'attendais. Il me revenait, pour me dire qu'il « n'en pouvait plus... ». Après notre séparation à Copenhague, je l'avais rejoint à Londres. Benoît lorgnait son assiette, comme s'il y avait là un mystère à clarifier. Pour rompre le silence gêné, je lui ai raconté, pleine d'espoir, n'importe quoi, ou presque... Nous avions discuté du sort pathétique de ce type, tout aussi pathétique, qu'est Salman Rushdie. Benoît était tolérant, il affirmait que Rushdie avait juste choisi de « sauver sa peau », et qu'il avait sans doute raison, qu'il était difficile de prendre position à sa place, que nous n'avions pas, comme lui, notre vie menacée par une horde de sauvages intégristes et débiles. Le restaurant était bondé, sur le mur il y avait des reproductions de pays exotiques. La salle ressemblait à un vaste hall d'embarquement. Les serveuses se déclaraient « hôtesses ». Elles étaient de différentes origines, quelques continents, à des heures d'avion. Leur visage reflétait une ou deux vies gâchées et du temps perdu. Je me fichais pas mal de Rushdie, je m'étais entêtée et forcée à lire ses livres, il était aussi ennuyeux que ceux qui le condamnaient, et que ceux qui le défendaient en gambillant partout. Benoît m'écoutait en souriant. Son sourire en coin m'énervait, il y mettait un peu de complaisance. Je lui expliquai que Rushdie n'était pas un homme, mais plutôt un rat... J'ajoutai que ce type avait eu le choix entre une dignité sublime et une reptation, et qu'il avait opté pour la position couchée, de loin la plus vulgaire. J'étais de plus en plus agacée par l'insolence des « hôtesses » qui se laissaient admirer par Benoît. « Qu'est-ce que j'ai dit ? — Que Rushdie n'était pas un homme, mais un rat... » Il colla sa chaise contre la table en me disant : « Sarah, écoute-moi... » Je crois que j'avais les larmes aux yeux en lui signifiant que c'était à lui de comprendre ce que je m'efforçais de lui dire. J'ai tué Rushdie verbalement, je l'ai massacré, je l'ai piétiné, je l'ai détesté... J'affirmais que ce type se trouvait pourtant devant un dilemme simple : vivre quinze minutes dehors et sous le soleil comme un homme libre, ou bien végéter comme une merde indécente le restant de son existence minable en se cachant au fond d'une cave. J'enfonçais le clou en précisant que le martyre que subissait cet individu, il en était le seul responsable, il en était le seul maître, puisqu'il le façonnait au gré de ses peurs et en fonction de ses lâchetés, sous le prétexte fâcheux que des excités séniles le menaçaient. J'ai bien observé Benoît en lui annonçant que ce genre de type, prêt à renoncer à sa liberté et à s'humilier ainsi jusqu'à la mort, juste pour demeurer en vie, me répugnait profondément. En souriant, j'ai exigé qu'il réponde à une question. « Que ferais-tu, si des gens te blâmaient et te condamnaient pour ce que tu es ? Choisirais-tu le soleil, le grand air, pour préserver ton indépendance, ou préférerais-tu t'enchaîner volontairement dans une grotte à guetter la fin de tes pauvres jours, avec, comme unique satisfaction, d'échapper aux meutes imbéciles lancées à tes trousses ?... » J'ai bu une gorgée d'eau, avant de déclarer : « Et si tu me réponds : "Je ne sais pas", je quitte aussitôt la table sans prendre de dessert... »

« Un plafond de verre. » Il se heurtait contre un plafond de verre... Il l'avait atteint pendant notre échappée au parc de Tivoli, à Copenhague. C'était son expression. Je ne parvenais pas vraiment à la comprendre, même si je devinais une limite qui s'imposait à nous sans jamais avoir été prononcée. Le parc d'attractions n'avait fait qu'accélérer les choses, comme de l'essence soufflée sur un feu déjà allumé. Nous étions près du lac à observer de jeunes enfants qui lançaient du pain à une colonie de gros poissons somnolents. Sur l'eau, des couples et des familles, tranquillement se laissaient glisser, allongés comme sur une méridienne, au fond des barques vives. Il nous a abordés en danois, puis il s'est repris en anglais, avec plus de succès cette fois. Il souriait, il s'adressa de nouveau à nous avec des gestes. Son appareil, levé en bouclier au-dessus de son nez, lui masquait les yeux, il nous ajustait tout en reculant, attentif à notre décision. J'ai glissé mon bras sous celui de Benoît et j'ai collé ma tête contre son épaule. Dans mon dos, j'ai senti sa main descendre vers ma hanche. Enlacés, nous avons offert notre plus beau sourire au photographe du parc. Tous les trois nous avons regardé le Polaroïd se développer. L'instantané était presque parfait. J'ai demandé au photographe s'il nous faisait un prix pour un deuxième cliché. Il m'a répondu, un peu boudeur : « Half price » et il a disparu à nouveau derrière son objectif, à nous guetter. Nous avons pris une pose, et nous l'avons conservée. Un temps. Je n'étais pas satisfaite. J'ai changé les dispositions sur la photo, surtout les attitudes. Le cadre, lui, resta identique, c'est l'intérieur qui fut chamboulé : j'ai saisi la tête de Benoît entre mes mains et j'ai avalé sa langue. Je l'ai bâfrée, je l'ai massée, je l'ai inondée et rincée. Je l'ai enfin relâchée, exsangue. Benoît était cramoisi. Il avait tenté de me repousser. Je m'étais accrochée de toutes mes forces, les ongles plantés dans son cou. D'une pression de l'index, le photographe a enregistré une fraction de la scène. L'excédent de salive et les contorsions, il les a regardés, mal à l'aise. En face de lui, il y avait du neuf, de l'inhabituel. Je crois que l'abonné aux portraits de famille fit le rapprochement et discerna la filiation. En empochant son fric il nous a dit certaines choses, dans sa langue à lui, rauques et totalement incompréhensibles. Les intonations n'étaient pas très amicales. Sûrement un bon père de famille en état de choc. Je lui ai donc répondu d'aller se faire foutre. En anglais.

Benoît avait une complète maîtrise de soi. Une irréprochable retenue. Cette prudence fut d'ailleurs la cause de notre première séparation. Momentanée. Pas plus de deux semaines. Il aimait trop se retenir pour prolonger son abstinence... Lorsqu'il m'est revenu la première fois, il était arrivé à Paris à l'improviste, m'attendre à la sortie des cours, pour me prendre par la main et ouvrir de l'autre une chambre d'hôtel. Rien pourtant n'avait changé : il se retenait et se ravalait encore avec la même satanée obstination adroite. Cette fois-ci, c'est dans le creux de mon dos, au-dessus de mes reins et jusqu'à mes épaules, que j'ai ressenti la flaque de chaleur et de plaisir... Pas dans mon ventre... Jamais, il n'est venu dans mon ventre... Il circulait dans mon corps, et à l'intérieur de toutes ses régions abordables, il se liquéfiait. Mon ventre, il s'y enfonçait prudemment, il le sondait et l'explorait, mais il ne le mouillait pas. Il refusait toujours de s'y déverser pour s'y répandre. Et ça m'était insupportable. J'avais le sentiment d'être indigne, un peu dégradée, comme si je ne méritais pas son frisson tout entier sous ma peau, nageant vers mon cœur ; comme s'il préférait s'absenter au moment crucial pour mieux se dérober à sa promesse d'extase. J'avais le feu aux joues et je voulais le ressentir aussi dans mon sexe et entre mes flancs, qu'il me palpe et me brûle, de toute sa poussée, de tous ses élancements. Lorsqu'il s'évadait de moi, j'avais le feu aux joues, mais du silence et des ramifications de givre dans les tripes. Le jour de son premier départ, nous avions fait l'amour, et j'avais voulu le retenir de force dans mon ventre. Il était sur moi, ce ne fut pas

111

très difficile de le bloquer entre mes jambes, d'appuyer avec mes mains sur ses reins, de l'enserrer de mes bras, de l'encourager. J'avais sous-estimé sa résistance et sa concentration. Je pleurais. Il était en colère. Ses mots tranchants ne faisaient pas rêver. Les draps furent tachés. J'ai eu l'idée qu'il allait mourir par un jour semblable à celui-ci. J'ai hurlé qu'il ne voulait pas éjaculer en moi pour ne pas avoir à signer son œuvre. Sa main s'est levée, elle a tournoyé au-dessus de mon visage, dans une négociation secrète, chargée d'une sale réalité, sans se décider à se poser... Il m'a demandé un pardon confus. A mon tour, je lui ai demandé pardon... Il a dit qu'il valait mieux ne plus nous voir. C'était très théâtral. Sa sortie fut héroïque.

De nous deux, je pense que c'était moi la plus adulte. Sa mort a scellé cette certitude. J'étais prête à affronter le monde entier. Benoît, lui, ne voulait pas de ce combat. Il martelait que personne n'était encore prêt à accepter un amour entre un « père » et sa « fille ». Il ne souhaitait pas l'exhiber. Pour lui, cet amour portait un nom, et ce nom était synonyme de crime... Lorsque j'étais allée à Londres, la toute première fois, il s'était réveillé bien avant moi, je l'avais rejoint dans la cuisine, il préparait le petit déjeuner. Les œufs étaient frits et le cochon anglais. Benoît avait une manière particulière de manger ses œufs. Il dégustait d'abord les blancs sans entamer ni crever les jaunes, ensuite il les faisait glisser un par un sur un bout de pain grillé, les noyait de vinaigre de vin pour finalement les engloutir d'un coup. Il terminait toujours par le bacon. C'était très incongru pour moi, ce formalisme, cette couleur rouille patinant sur du jaune citron. Seules les cuillères dans les tasses s'essayaient à briser le silence. Je crois que nous étions un peu gênés l'un l'autre. Je crois aussi que nous étions très heureux. La nuit passée ensemble s'apparentait à une digression illicite dont nous ne voulions pas admettre la portée par crainte de nous retrouver exposés, face à face... Alors, j'ai fait la vaisselle. J'ai toujours aimé faire la vaisselle. C'est une retraite formidable la vaisselle, la libre cogitation y est intense, les mains se doivent d'être souples et sans faille pour que les pensées affrontent le vide et le transforment en une belle nature morte. J'ai prié Benoît de me laisser la cuisine quelques heures. Il ne s'est pas fait supplier. Il est sorti et m'a laissée seule, les mains sous l'eau chaude et l'esprit ailleurs, désancrée et dérivante. J'ai tout récuré, bien lessivé. Même le propre. Attentive à l'harmonie, aux allures et à la pertinence du rangement. J'ai voulu une manière pour me soustraire à mes fièvres et étouffer mes craintes. Cette fois-ci, ce fut dérisoire. Il me circulait dans la tête, des marges et quelques culpabilités singulières. J'avais pourtant le sentiment de ne rien avoir fait de mal, de n'avoir commis aucune trahison, à peine des froissements d'étoffe. J'avais été moi-même, d'une indépendance certaine, et je pressentais de la douleur à venir du côté de mes racines. Pour une nuit pareille, et même pour son reflet, je l'aurais refait... Benoît est rentré. Il avait flâné, il avait vaqué. J'ai pris une douche, je me suis habillée, nous sommes allés déjeuner. L'ordre naturel des choses. Benoît avait acheté la presse. Je lui fis remarquer que les journaux anglais employaient souvent le conditionnel. « Cela leur permet de raconter des conneries lorsqu'il n'y a rien à raconter. » Trop de pages, la peur du vide, l'absence de conjoncture. Le restaurant était inconnu de Benoît, il n'y avait pas ses habitudes, n'y prit donc aucune liberté. Neutre et anonyme. Les larges fenêtres ouvraient sur une place où de gros lions crachaient de l'eau claire. Des gens la traversaient, certains mollement, d'autres en accéléré, entre des essaims de pigeons. Nous tentions, chacun de son côté, le regard en réserve, de parvenir aux alentours de ce que nous étions censés aborder : nos identités mêlées et la confusion qui en résultait. Je crois que nous cherchions des paroles et des mots dont les sonorités arbitraires ne persécutaient pas. Ces paroles et ces mots restaient encore inaccessibles. Parler avec les mains fut d'autant plus simple pour commencer. C'était très désarticulé, prolixe, mais ça touchait sa cible, glissement des doigts et cadences des frôlements, un code pas une épure, comme une syntaxe personnelle. On évitait l'image circulaire, il n'y avait que nous. Le serveur dut s'imposer. C'est toujours à la fin des repas qu'on se dit les choses les plus importantes, juste avant la digestion, pour éviter la somnolence. Benoît évoqua « une assignation à ne pas être ». J'ai trouvé la formule percutante, bien que juridique, conforme à notre désordre. Elle nous résumait en peu de mots. Nous ne serions jamais un couple ordinaire. C'était élémentaire, nous n'étions pas désappointés. La situation ne manquait pas de charme. Il a ajouté qu'il ne désirait plus rien que moi, qu'avant de me connaître il s'alimentait d'épisodes, aujourd'hui il était amoureux pour me plaire, et qu'importe l'invective. Dehors, au-dessus des lions, le ciel d'un gris fluvial se segmentait sous une ébauche de soleil pâle. Entre deux averses nous avons regagné l'appartement de Benoît. Nous dévisagions les passants pour savoir s'ils nous dévisageaient. Ces créatures étaient indifférentes ou leurs yeux indéchiffrables. Nous avons fait la sieste, en notant l'étrangeté de nos lèvres collées.

L'avenir était facultatif et je ne pouvais prétendre à plus de bonheur. Nous étions en avance sur notre temps, nous le devancions sans l'obliger. Cela ne nous consolait même pas d'être en quelque sorte des défricheurs, des éclaireurs, si loin de notre malédiction. Un mot, pas très long, pas très court, pas grand-chose. Juste quelques lettres mises bout à bout, sept. Voyelle, consonne et consonne, voyelle, consonne et consonne, voyelle… Un mot de silence, de foudres, de désapprobation unanime. Un énoncé comme un opprobre, brut, qui fait frémir et qui dégoûte, son extension illimitée, sans aucune possibilité d'atténuation ou motif de débat. Un mot chargé jusqu'à la gueule de haines, d'êtres brisés, de cicatrices et de mémoires prisonnières. Un mot qui salissait notre amour en le diminuant ou en le dénaturant : Inceste.

Benoît m'avait prévenue, à deux, nous n'avions pas vraiment d'avenir. Je lui avais répondu que l'avenir n'était pas une obligation, tout au plus une prétention encensée. J'entendais ça depuis que j'étais une enfant : l'avenir. Ça vous obstruait l'horizon, l'avenir, ça vous raccourcissait le présent, ça le rabotait de tous côtés… C'était toujours la course après l'avenir. A peine arrivais-je quelque part qu'il me fallait détaler pour l'ailleurs. J'en étais essoufflée de l'avenir. Il me prenait à la gorge, m'empêchait de respirer. Je ne m'arrêtais jamais, j'en franchissais toutes les étapes en épreuves successives et il se tenait toujours plus loin, le devenir... Il était distant, ne se laissait pas approcher facilement, courait si vite, c'en était inhumain. Il circulait des histoires et des légendes. Certains moururent de ne pas avoir croisé leur avenir. Ou d'être arrivés trop tard, ou même un peu trop en avance. L'avenir se révélait une maladie létale. On perdait pied, et la tête, on y sacrifiait sa santé. L'avenir était un sale alibi qui justifiait tout. Pendant les vingt premières années de ma vie, j'ai joué à fond son jeu, je me suis consacrée tout entière à lui. Je l'ai pisté, traqué. Appliquée et disciplinée. Entre le présent des choses déjà dépassées et celui des choses futures. Un jour j'ai décrété une pause. Avec un homme,

Benoît. Je voulais savourer le présent, l'étirer à son maximum. C'était bien naïf, pour un instant allongé. L'avenir m'a rattrapée, il m'est tombé dessus... C'est l'avenir qui a tué Benoît.

Il m'avait dit : « C'est le mouvement qui habite le vêtement... » Il aimait ma façon de bouger ; il déclarait souvent que lorsque je marchais dans la rue je laissais derrière moi un passé de miracles, et aussi des lueurs d'éternité dans les yeux des passants. Parfois quand nous étions attablés à une terrasse de café, il me demandait de me lever et de défiler, un aller et retour, sur le trottoir d'en face, je m'inventais une indifférence, une allure touristique et un pas indolent, comme ça et juste pour lui. « J'ai vu une très jolie fille de l'autre côté de la rue... » m'avouait-il lorsque je revenais m'asseoir. De mon opposé, à travers le flot des voitures et des piétons, je l'observais également, sans qu'il le sache. Une fois je confessai l'avoir dévisagé m'envisageant. « Et à quoi pensais-tu ? » Je lui répondis en souriant : « Que j'allais bientôt avoir ta peau. » Il rougit... J'adorais le voir rougir. Ses grands fards je les obtenais en esquissant un pas de danse avec lui, je fermais les yeux, il s'embrasait. Il n'aimait pas danser, il disait qu'il n'est jamais bon de piétiner frénétiquement la terre, que saturée de soubresauts et d'ondes de choc, elle finissait par se venger, se mettait elle-même à trembler, et toute à se gondoler, elle regardait les humains et les immeubles se trémousser à sa surface... Je crois surtout qu'il ne savait pas danser, alors il faisait l'élégant. Il en allait de même pour les voyages, il prétendait qu'on ne se déplaçait plus, à notre époque, par souci de dépaysement mais poussé par une obligation d'inventaire ; il n'y avait plus rien à découvrir, on comptait ce que l'on avait vu et ce qui nous restait encore à voir. Je l'écoutais, il était original, il

121

soignait ses théories. Comme son apparence. Surtout ses cheveux, noirs et
rejetés en arrière dans une fausse impression de hâte, une recherche étudiée
et savamment entretenue d'un décontracté permanent. Après les avoir lavés,
il les emmêlait sous une serviette afin
qu'ils sèchent ainsı, noués et chiffonnés,
ensuite il les touillait un peu plus, les
doigts en dents de peigne, « en ordre de
bataille », les balançait d'un coup du
front vers la nuque et devant la glace se
jugeait coiffé... Il en résultait une séduction insolite, un style inclassable. « Le
négligé est toujours moins néfaste que la
symétrie. » Entendre cela était un para-
doxe. Ses tiroirs recelaient des collections de linges identiques : chaussettes
noires ou grises, caleçons bleus, chemises
blanches ou noires, tous en modèle
unique et provenant du même jeune cou-
turier en vogue qui alignait une demi-rue
de magasins à Covent Garden. Au saut
du lit, il détestait choisir, se penser tel ou

tel, dissiper son imagination dans l'accessoire et s'agiter pour une façade et une vanité... En brûlant ses photos, je m'étais attardée sur cette chevelure ébouriffée avec talent. Avant de les griller toutes sous la flamme, je les émiettais en évitant de croiser ses lèvres, son nez, ses yeux. Je fixais ses cheveux, les confettis tombaient sur le sol. Un odeur de pommes vertes m'accablait, celle de son shampooing. C'est la dernière image de Benoît que je conserve : une coupe en pétards aux senteurs de vergers... Je voulais qu'il ne reste aucune trace de lui en dehors de moi. Je le retiens dans le creux de ma mémoire et aussi longtemps qu'il y séjournera il ne sera pas entièrement mort... Nul besoin de le revoir figé à plat sur une photographie, son visage, la forme de son nez ou la couleur de son regard, j'ai tout ça derrière mes paupières quand je les ferme. Nul besoin de l'exposer à la vue des autres et nul besoin de le décrire. Deux yeux, deux oreilles, une bouche, et c'est déjà trop de détails… Il m'a fallu attendre sa mort pour que je puisse enfin le garder en moi. Il ne regarde que moi, il n'est pas à partager.

Je crois qu'il s'appelait Anton, ou peut-être Aaron. En tout cas ça s'entamait par un A et ça faisait touriste. Il parlait anglais et d'ailleurs ne l'était pas. Il parlait aussi assez bien le français. Il étudiait même les relations internationales à l'Institut d'études politiques de Paris, il a cru m'impressionner lorsqu'il a déclaré vouloir travailler pour le State Department. En retour je l'ai choqué en lui demandant si c'était une grosse compagnie et si elle était connue partout dans le monde, cotée en Bourse, toujours à la hausse. Il devait avoir deux ou trois ans de plus que moi, et ressemblait déjà à un jeune vieux. Très sérieux dans son costume de faux mormon. Mais j'aimais bien ses grosses lunettes. Elles étaient insolites et en écaille. Un bel ornement qui écornait son austérité chic. Je l'ai abordé près du bar. Il ne savait pas encore que je l'avais choisi comme sujet d'expérience, ni s'il serait d'accord avec l'expérimentation... J'ai commandé une vodka. Je lui ai proposé une bière ou une vodka, ou même une eau minérale. Il a pris de la vodka, prétextant ne pas aimer la bière. C'était un bon départ, je déteste les haleines au houblon et les éponges à bière. « Open bar », dans toutes les langues, c'est très bien assimilé, un vrai point de ralliement. Les jeunes hommes s'y postent en embuscade et attendent que les gazelles viennent tranquillement s'abreuver. Ordinaire et efficace. C'est dans tous les bons manuels. Je les avais observés, tous à l'affût, répétant bien les manœuvres d'approche, consacrées ou alors désinvoltes. Je les avais éliminés aussi, l'un après l'autre, jusqu'aux belles lunettes en costume. Il était sage, très solitaire. Je me suis dit, il n'est pas d'ici.

Il regardait la piste de danse et ses ondulations rythmées comme seul un étranger peut le faire, avec ce mélange de réserve et d'amusement, de supériorité autant. J'ai dit : « Vous n'êtes pas d'ici. » J'ai entendu, « Boston ». J'ai ajouté que je n'avais jamais visité l'Australie. Il m'a considérée avec beaucoup de compassion. Je lui ai mis une petite tape sur l'épaule en le rassurant : « I'm kidding… » Il s'est vite déridé. Nous nous sommes écoutés, entre les décibels, de bouche à oreille. C'était grisant, les vodkas glacées nous précédaient, il avait des intentions, elles étaient douces, je les favorisais. La musique le déhanchait un peu. J'envisageais beaucoup ses hanches. Elles étaient là pour moi, il était là pour ça. Je lui ai demandé s'il encourageait la libre entreprise et s'il aimait l'aventure. Je n'ai pas écouté sa réponse, c'était affirmatif mais sans aucun trait d'esprit, il me parla économie, je lui conseillai d'économiser ses forces. Je l'ai entraîné vers la sortie. Dehors il fut moins disert. Il faisait froid. Sa main dans la mienne était chaude. Il se laissait guider. Nous sommes allés chez moi. Ma mère n'était pas là. En ouvrant la porte, j'ai mis mon doigt sur sa bouche, qu'il ne fasse pas de bruit, qu'il cale ses pas sur les miens, qu'il ne réveille pas ma mère, là, dans sa chambre, vers la droite... Il se fit léger, presque invisible, jusqu'à ma chambre... J'étais rassurée, mais je n'étais pas vraiment inquiète, Anton ou Aaron, je ne sais plus qui, me paraissait parfait, cérémonieux et poli, pas même embué par la vodka. Devant mon bureau, les mains dans les poches et les yeux parcourant mes livres, il attendait la marche à suivre, l'annonce du protocole. Il ne cherchait même pas à m'embrasser. Je me suis faufilée entre les titres et ses lunettes et je lui ai dit ce que je voulais. L'exposé fut bref, mon désir fort simple, comme du reste ce qu'il avait à faire et à apprécier. Il acquiesça, l'excitation supplantait la surprise. On s'est déshabillés côte à côte sans rien avoir à se dire. Machin ou truc fut, là aussi, appliqué et loyal. Il respecta les clauses de notre accord et le principe de l'expérience. Il ne chercha pas à profiter de la situation, encore moins à nous improviser des figures ou autres audaces malvenues. Il me surprit toutefois, il fut attentif à mon plaisir... Ce ne fut pas trop long, ce ne fut pas trop court, ce fut ce qu'il fallait que ce soit, c'est-à-dire précis et remuant. Je me souviens du moment, plus que du cobaye. Il a tout accepté : que je ne le caresse pas et que je ne l'embrasse pas, qu'il ne me caresse pas et qu'il ne m'embrasse pas. Il s'est résigné à me pénétrer, uniquement... J'étais tout entière à l'écoute de mon ventre, concentrée sur l'éjaculation imminente de Machin-truc, son flux sous ma peau, le clapotis en couronnement de l'expérience. L'altitude de la chose. J'avais sa nuque, la houle de ses épaules, l'odeur de ses cheveux et son amarre en moi ; un azur idéal. Je n'étais pas obligée de l'aimer, passive à la cadence inlassable, son incessant renouvellement. Il retardait l'instant, faisait durer la bravoure, ajustant et rajustant la mesure. Soudain, la secousse, les soubresauts sur son visage extasié et cramoisi, au-dessus de mes yeux, l'onde des frémissements qui s'éloigne pareille à la détente d'un élastique. Alors je me suis contractée pour l'emprisonner, pour le comprimer en moi et dans mon ventre et sous ma peau, tous les muscles de mon sexe crispés jusqu'à la crampe. J'attendais cela depuis trop longtemps, des mois, quelque chose qui s'ouvre et qui coule, dans mes profondeurs, là où la marque des corps demeure et puis s'efface. Je lui ai dit : « Reste un peu. » Il a frotté son nez sur mon cou, sa bouche hésitait à s'entrouvrir pour le laper, ses ultimes trépidations me scellaient à son torse plus encore. La promiscuité m'écœurait un peu, nous n'étions pas intimes, à vrai dire. Il devenait lourd, semblait échoué, indolent sur mon ventre, sur mes seins, entre mes cuisses... Je l'ai remercié et lui ai demandé de s'en aller. Je me suis vite recouchée, je pensais à Benoît. J'étais calme, du calme de ceux qui savent d'avance que ce n'est pas le jour qui se lève mais la nuit qui s'obstine.

Demain, un jour, peut-être dans mille, un père pourra aimer sa fille d'amour charnel sans qu'il soit besoin d'en mourir après... Dans mille jours, ou alors après-demain, une fille pourra devenir la maîtresse de son père sans avoir à se cacher ou à mentir. Bientôt les amours volontaires et partagées entre parents et enfants seront reconnues et même tolérées... Certainement, viendront des lois pour promouvoir leurs droits et mieux les protéger.

Benoît me disait souvent que j'inspirais tous ses rêves lorsque nous dormions ensemble dans la maison de Bourgogne. Il ajoutait que c'était dû à la conjonction de deux choses : ma présence auprès de lui et l'absence d'obstacle contre notre lit. La chambre était dans la plus grande des pièces, à l'étage. Le lit trônait au milieu. Entre le plafond de poutres épaisses comme des troncs d'arbre et le sol recouvert de vieilles tomettes. Il était là, comme une île au milieu de nulle part, sans appuyer contre quoi que ce soit, sans être à demi encerclé dans un angle, ou acculé au pied du mur. Benoît regrettait de ne jamais rêver, en tout cas de ne jamais se souvenir de la sensation vertigineuse du rêve. Là, dans notre chambre, dans ce lit et contre moi, lorsqu'il dormait, il savait quand il rêvait, il le ressentait physiquement... Ses songes, il ne me les racontait pas, il me parlait simplement de sa perception et de ces émotions nouvelles. Sa description en était étrange, il dormait profondément, il le sentait bien, mais il avait l'impression de se regarder dormir et de se surprendre à rêver. Benoît aimait beaucoup cette maison. Il y est mort, quand il a su que ses rêves ne franchiraient pas le seuil de notre chambre.

Ce fut comme si une veine avait éclaté, j'en ai éprouvé un surprenant bien-être. J'ai tout mélangé, parlé d'une traite, presque sans respirer. Les preuves et les exemples se chevauchaient, s'emboîtaient les uns sur les autres. Je parlais tellement vite que je perdais en route une multitude de détails. J'étais comme une possédée, les mots qui sortaient de ma bouche semblaient m'être soufflés. Je me disais que je n'avais jamais aussi bien parlé, aussi bien exposé mes pensées, rien dit de meilleur. Je me sentais invincible, ivre de mes paroles, pleine de leur perspicacité. Je voulais tant le convaincre et le persuader de croire que nous n'étions pas des monstres, que nous étions tout juste différents, peut-être un tout petit peu plus excentriques... Le seul moyen à ma disposition était de dévoiler à tous l'étendue de nos accointances amoureuses. J'entendais dorénavant vivre notre amour au grand jour, je n'en pouvais plus de la clandestinité et de toutes ses hypocrisies. Benoît fut horrifié par ma détermination. « Ce sera la mise à mort de notre histoire... » J'ai cru à un effet de style, à des propos jetés en l'air pour m'impressionner ou me faire peur. Je ne pensais pas qu'il tiendrait parole, un dimanche matin de février... L'avenir a tué Benoît, je l'ai déjà dit. Mais il ne fut pas seul à commettre ce crime. J'y pris ma part. J'ai beau raturer mes souvenirs, j'en ravive toujours les points de fracture qui ont dégénéré en un point mort... C'est parti d'une démonstration, des faits confirmés et des précédents depuis longtemps reconnus de tous, rien de nouveau, encore moins des hypothèses. J'étais enthousiaste, Benoît préférait « exaltée », il m'interrompait tout le temps. Il me disait : « Sois sage… » C'était là son expression favorite, sa pointe lorsque je l'agaçais un peu ou que je semais du désordre. Il n'employait pas d'autres termes, trop vifs ou désagréables. Jamais il ne pensait à dire, tu débloques ou tu t'égares, voire, tu racontes des conneries. Son truc c'était « Sois sage », cela ne s'ébruitait pas et ça entretenait un air d'inachevé. Un coup d'éventail assassin… la perfection. Ce soir-là, je souriais en répondant « Belle tentative… » à chacune de ses touches. Il me demanda de quoi je parlais, de quelle tentative il s'agissait. Je poursuivis sur ma lancée, le dessaisissant de son avantage dans le sibyllin, le laissant mariner dans son irritation. Il est dangereux de regarder derrière soi, on risque de glisser sur quelque chose. De mémoire, cela s'est déroulé comme ça, je m'en souviens, j'étais tranchante dans le monologue, entre deux « Sois sage » sans effet. J'ai commencé par ma mère, il l'avait aimée un jour de

134

destin et son cœur n'avait jamais battu la moindre mesure d'un regret. Il avait ignoré, elle avait espéré... Il fut dit : « Que le diable l'emporte... » Elle avait vertu de modèle Maman, elle était même qualifiée pour servir d'exemple. « Et ma mère, c'est quoi alors, une salope, une traînée, une pestiférée damnée... » Il fut ébranlé par l'âpreté des mots choisis et par mon langage ordurier. Nous ne parlions jamais d'elle, aussi restait-il sur la défensive, paré aux reproches. Il n'y eut aucune accusation, il n'eut pas à se débattre. Je suis revenue sur le statut de ma mère. Une « mère célibataire », une femme sans homme et avec un enfant. Une femme dont l'enfant n'avait pas été reconnu par le père. Un bébé déclaré à l'état civil de père inconnu. Une bâtarde accrochée aux seins d'une mère de vingt ans à peine ; une bâtarde dont le père ne savait pas qu'il l'était... A notre époque, une banalité, même plus un fait divers. Quelques haussements de sourcils, des procédés mineurs, rien de bien grave... Benoît hochait la tête, cherchait des mots pour m'interrompre ou peut-être m'en imposer... Je n'en savais rien, une simple idée qui me venait, j'étais à fleur de peau, les mains jetées en avant, dans le vide... « L'époque, voilà ce qui a changé... L'époque, et les mentalités. » Il m'a dit qu'il connaissait tout cela. J'ai relancé malgré tout... C'était bon de se remémorer la chance qu'on avait eue... Avec ma mère nous étions une famille, plus légère qu'un foyer classique, moins encombrée ; en dehors d'un père pour moi et d'un mari pour elle, tout était normal. Nous n'avons jamais été brimées ni déclassées, nous avons fait ce que nous voulions accomplir, nous sommes devenues ce que nous désirions être. Il n'y avait rien d'exceptionnel chez nous, lui ai-je dit, des femmes comme ma mère on en trouvait partout et des enfants comme moi aussi ; les situations s'apparentaient, seules les histoires étaient personnalisées. De rare et monstrueuse il y a quelques décennies, cette condition était aujourd'hui terriblement banale et ennuyeuse. « Elle a fait un bébé toute seule » était même chanté en louange à la modernité, et la chanson passait en boucle, brandie tel un étendard, sur toutes les ondes. Benoît me coupa la parole, glissa qu'il aimait bien le chanteur mais pas cet hymne à l'égoïsme. Je n'ai rien ajouté, mais j'ai néanmoins établi que pour parvenir à « faire un bébé toute seule… », les mœurs s'étaient mises au diapason de l'époque. J'ai insisté sur cette lente métamorphose de la « Morale » et de la tolérance. « Je n'ai jamais été appelée Bâtarde et Maman n'a jamais été montrée du doigt ni marquée au fer rouge. » Je lui remémorais les temps pas si lointains où les filles-mères étaient la risée de la société, où elles y vivaient l'enfer tous les jours pour quelques satanés instants de plaisir ou d'abus ; et surtout notre immense privilège d'être nées toutes les deux à une époque glorieuse pour bénéficier de ces belles mentalités adoucies « Qu'aurions-nous fait, qu'aurions-nous été, il y a cinquante ans, un peu plus, un peu moins peut-être, Maman et moi ?... » Benoît était à la torture, je le voyais bien, plus je parlais, plus il était excédé. Je fus inflexible, avec le pressentiment que les mots ne le touchaient pas vraiment, ne le concernaient pas, il les supportait comme on endure une pluie froide. Alors je lui fis prendre une douche, j'évoquai l'homosexualité. Il soupira un « Je t'écoute, mais je sais ce que tu vas me dire... » Il se leva doucement, nous fit deux cafés au lait très chauds, dans des grands verres, comme à Copenhague, il avait adopté cette façon de faire depuis son retour du pays des Vikings. D'abord l'espresso, noir et corsé, dans une tasse à part, et puis le lait bouillant, sur le point de déborder de la casserole ; en premier verser le café dans le verre, épais, octogonal et long, le lait enfin, avec la mousse mais sans la peau, pour terminer, servir avec une longue cuillère, sans agiter surtout, laisser ce plaisir à celui qui le dégustera, avec ou sans sucre, en se brûlant délicieusement les doigts. Je le regardais, méticuleux dans chacun de ses gestes, entre le café chaud et le lait en ébullition, le jus sombre qui coule du percolateur lorsque la casserole est ôtée du feu, l'odeur un peu écœurante du lait bouilli. Tout à portée de main, les verres et les cuillères, le sucre, à offrir sans laisser refroidir. Le deuxième ou le troisième jour de notre voyage au Danemark, il avait exigé qu'on lui change son café au lait, des copeaux de chocolat flottaient sur la mousse. La maison était centenaire, la Glace, la reine y venait souvent, la serveuse le lui fit remarquer gentiment, la recette avait fait ses preuves, plus d'un siècle, elle avait ses inconditionnels. Benoît répondit avec son très beau sourire : « Encore des chichiteux. » Il surenchérit en établissant que « les fins de race n'étaient pas une référence ». Ici, le café au lait était proposé dans de belles tasses blanches Royal Copenhague... Les homosexuels patientaient au fond de mon crâne, piaffaient sur le bout de ma langue. La pause-café s'éternisait. Mon verre était vide, Benoît prenait son temps, les mains collées au sien, comme autour d'un brasero. Dehors, le vent dérangeait la nuit au-dessus du toit. Il n'était pas très tard, c'était l'hiver, le plein soleil avait migré, toute la Bourgogne était grise et brune, boudeuse dans ses allures et ses rythmes, il pleuvait souvent. Nous étions arrivés la veille, rechauffés devant une cheminée, sous des pull-overs. La maison craquait de plaisir, ses bois se réveillaient sous la chaleur des âtres. Benoît posa son verre auprès du mien, il trifouilla avec le pique-feu les quelques bûches de pommier qui se consumaient, il y eut des gerbes d'étincelles et un beau retour de flammes. « Etre homosexuel était considéré dans nos pays civilisés, comme une maladie et comme un délit, même un crime chez le plus borné des obscurs... » J'ai détaillé toutes les persécutions, les traques, le cortège vertigineux mais ordonné des châtiments, la sainte ivresse de tous les bien-pensants dans les représailles orchestrées; et surtout et par-dessus tout l'arrogance imbécile de ces primates convaincus de leur bon droit dans la chasse aux « déviants » et autres « pervertis », et aussi la « Nature », la « Bonne Morale » appelées en renfort, échos de leur rigorisme, de leurs peurs et de leurs haines scélérates. Après le temps des murs rasés, de l'échine courbée, était arrivé celui de la difficile bataille pour la reconnaissance de la différence, avec ses excès et ses dérapages nécessaires, et enfin, pour finir, la lente acceptation d'une diversité tout bonnement humaine. « On croit impossibles certaines choses et lorsqu'elles se révèlent faisables et deviennent routinières, on les jauge avec ce petit air blasé et satisfait de l'évidence irréfutable, comme si elles avaient toujours existé... Des milliers d'années durant, nous avons regardé la lune, et un beau jour, nous nous sommes mis à voler, et en moins de soixante-dix ans, nous sommes passés de la terre à la lune... En à peine moins de soixante-dix ans ce qui était impensable s'est affirmé extraordinairement familier... Aujourd'hui les homos se marient entre eux, là-bas en Californie, très bientôt ils pourront même adopter ou avoir des enfants, il y a vingt ans cette perspective était du domaine de l'utopie, ou de la provocation... Notre relation peut être jugée anormale à cette heure, plus tard, je te le promets, elle sera anodine... » Ma plaidoirie dura beaucoup plus de temps qu'il ne faut pour la lire, Benoît l'écouta avec une mine attendrie. Il m'a simplement dit que j'étais assommante, et aussi, naïve. Et puis il a ajouté : « Pour tout le monde, je resterai le mec qui

baise sa fille, et ça, jamais cela ne chan-
gera... »

Benoît est mort de savoir à quel point
il est difficile d'être différent, hors du
commun, de ses modèles et références.
Le suicide est une épreuve qui isole,
encore plus avant qu'après. Il n'aimait
pas écrire des lettres, il pensait que l'écri-
ture était donnée à « ceux qui avaient
perdu l'usage de la parole », et surtout il
y avait trop d'intermédiaires, les manu-
tentionnaires de la poste, des trains,
des avions, et aussi les facteurs, les
concierges, trop de mains et trop de
relais, des inconnus, peut-être des indis-
crets. Il préférait de loin se déplacer et
bavarder, même à demi-mot, entre les
silences. Il m'envoya pourtant une jolie
carte postale de Copenhague, quelques
semaines avant de m'abandonner pour
naviguer sur la Seine, il avait un projet
de marché couvert dans le centre-ville,
sur une vieille place, avec un jeune archi-

tecte danois, les prémices de la banquise après les déserts torrides du golfe Persique... Karen Blixen en portrait cartonné, une phrase de son œuvre, rien d'autre : « Rêver, c'est la manière des gens bien élevés de se suicider. »

Je suis très mal élevée, je ne rêve que la nuit. Pas toutes les nuits, certaines, celles dont je me souviens, et celles-là, en effet, je ne les oublie pas. Il y a Benoît qui passe et qui dérive sous mes paupières fermées. Je n'ai jamais connu pareille transparence que lorsqu'il sort de l'ombre pour se glisser dans mon sommeil, jamais mieux été avec lui que dans mes rêves. Ce qui me trouble dans ces lieux d'absence où nous nous retrouvons, c'est l'harmonie et la précision de nos gestes, sans entraves, selon nos humeurs et leurs mesures, la liberté aussi. Dans ces songes, il n'y a pas d'impertinence, nous ne dérogeons à aucune règle, les opinions et la menace sont ignorées, notre amour règne sans identité, il existe, indépendant de tous, flagrant aussi, plus besoin de s'en expliquer, de se méfier, de choisir entre les morsures de l'ordre et la folie du retranchement, plus besoin de quoi que ce soit, juste s'aimer et en jouir... Plus de dix ans maintenant qu'il est parti, pas un coup de tête, plutôt un contre-pied. Benoît ne vieillit pas, cette voix qui fut la sienne, je l'écoute, elle me berce comme une valse lente, alors je retrouve son odeur et mes vertiges, nous parlons le front collé à la fenêtre et nos mots sont moins fragiles, nous avons enfin le temps... Nous sommes dans un hall de gare, ou peut-être au musée du Louvre, il y a des allées et venues, en lignes droites et en diagonales, dans toutes les langues, et puis des attroupements devant des couleurs et des vernis, des ralliements autour de récitants éclairés, des extases, quelques déceptions. Je regarde Benoît, il regarde devant lui, très loin, bien au-delà des têtes et des mains volubiles... Il parle des tableaux exposés, il me dit qu'ils sont comme des larmes accrochées aux murs, et que chaque larme suspendue pleure une époque défunte et magnifiée par l'artiste, pour le reste un brave embaumeur qui se bornait juste à embellir, figer l'agonie et les adieux des siens... L'effroi et la panique lorsque je devine que je me réveille, et cette déception d'avoir rêvé, j'en ai mal au ventre, glacée de sueur, je referme vite les yeux pour essayer d'entrevoir sa silhouette, je m'acharne en vain, mes yeux une fois grands ouverts, c'est fini... La vie rêvée... Celle que nous aurions dû avoir, je ne l'expérimente que dans l'issue magique du sommeil, dans ce trop court labyrinthe où circule parfois un mort toujours aimé. C'est étrange de se sentir réanimée de la sorte alors qu'on dort en compagnie d'un cadavre qui vient de temps à autre vous narguer et vous montre le reflet de ce que le destin aurait pu vous accorder, si... Cette vie que nous aurions dû avoir... La nôtre contenait également quelques perles, mais nous n'avons pas su trouver le fil qui les unissait... J'en conserve au fond de ma gorge l'amertume.

Nous ne parlions jamais de Maman, je l'ai déjà dit ; il y eut cependant cette soirée en Bourgogne, et puis une autre fois, c'était dans un café. Près de nous, une mère donnait le sein à son nourrisson, nous l'observions, elle était impériale, elle semblait régner sur une île déserte ou sur une enclave, en charge de survie, attendrie et appliquée. J'ai demandé à Benoît si cela lui manquait de ne pas être encore père. Il a hésité un moment et s'en est sorti par une de ses pirouettes classiques : il ne saurait être frustré d'une chose qu'il ignorait ou n'avait pas éprouvée. Je lui ai alors posé la question subsidiaire : « Et si tu avais su pour ma Mère, qu'aurais-tu fait ?... » Il est remonté très loin en arrière, dans une partie de sa mémoire laissée pour morte ; évitant le piège des interférences et des audaces mensongères, il a attrapé mon paquet de Pépito, il a souri au biscuit qu'il tenait respectueusement entre deux doigts, et c'est ensemble que nous avons lâché sa phrase fétiche, celle qu'il prononçait en louchant lorsqu'il me piquait un gâteau : « Merci de te laisser manger... » Il en reprit un second, l'avala sans un mot, me désigna la mère du regard pour m'apprendre que dans certaines juridictions des Etats-Unis, une telle scène serait réprimée : « Exhibition sexuelle, d'après eux, très forts ces Américains, trop forts... D'un hommage à la nature ils font un vice... » Ce ne fut pas un caprice, il était bouleversé par ma question. Il serra mes mains entre les siennes, les embrassa timidement, les caressa, comme un ami, ou un protecteur. « Je ne sais pas, Sarah, ce que j'aurais fait, je ne le sais pas... Peut-être quelque chose de bien, ou de pire, je ne peux pas te le dire... » D'autres interrogations m'attisaient, j'en faisais un inventaire dans ce café, elles n'étaient pas infinies, leurs teintes seules changeaient, évasives entre mes mots, mon orgueil de rescapée, ce débris bâtard d'une aventure de 14 juillet. « Aurais-tu aimé que je porte ton nom ? » La réponse a fusé, sèche et insolente : « Non. » Il a aussitôt voulu tempérer son refus, en précisant qu'il ne fallait pas y voir une quelconque hostilité ou négligence à mon égard. Il a dit que « La plupart des hommes sont des cons qui aiment graver leurs œuvres de leur nom, et peu leur importe que certaines de ces œuvres soient des réalisations partagées, il leur faut en revendiquer très haut la propriété, la paternité exclusive aux yeux de tous. » Il s'est enflammé un peu, a précisé que tout ça s'accomplissait sans aucun discernement : qu'ils fabriquent une voiture ou élèvent du vin, qu'ils construisent un immeuble ou découvrent une grotte, qu'ils écrivent des livres ou fassent des enfants, toute occasion est bonne, ils cherchent avant tout un support pour afficher leur identité, seul leur fier et superbe patronyme, ainsi claironné partout et par tous, les intéresse au plus haut point. Il est devenu intarissable, il m'a même donné en exemple ces fabricants d'armes ou d'explosifs qui associent leur nom à leurs inventions. « Et leurs enfants portent alors des noms de mort, de guerre, de massacre... » Après son suicide, dans la lettre que j'ai reçue, très longue et très belle, il m'écrivait qu'il n'entendait pas être le complice de cette persistance moyenâgeuse « qui consiste à déposséder la femme de son nom », qu'il ne voulait pas être des leurs, tous ces braves hommes qui plastronnent parce qu'ils refoulent vite fait un état civil pour y caser le leur, et qui s'approprient d'autorité, comme des faussaires, ce qui ne sort même pas de leurs entrailles. Il flairait dans cette virile obligation, une nostalgie du Neandertal, la pire caractéristique masculine jamais recensée : l'élimination de l'autre mâle dominant par un preste effacement du nom de la mère à l'arrivée de la progéniture commune. Un cycle sans fin, une roue folle qui écrase et poursuit son chemin. « L'actuel père gommant d'un coup de reins le nom de celui de sa femme ; mais qu'il ait une fille, et il flanque automatiquement le sien sur la pente du sursis, de l'oubli ; un fils peut-être ? alors tout lui est promis : l'immortalité de son auguste nom et sa gloire hissée par une nouvelle génération. » Plus loin, dans la lettre, il avouait que si la vie avait été clémente, s'il était resté auprès de ma mère, il aurait souhaité la convaincre « de pisser sur l'époque et ses convenances ancestrales », de ne point se marier et de me reconnaître la première afin que je puisse « arborer son doux nom, en grâces et dévotion à celle qui te porta si longtemps et t'offrit la vie au péril de la sienne... Il y a beaucoup plus de femmes qui meurent en enfantant que d'hommes en faisant l'amour... Les hommes meurent parfois, Sarah, mais de honte, lorsqu'ils n'ont pas été très bons... » Ce fut un apaisement de le savoir. Il achevait sa réflexion sur ces phrases nobles mais vaines... « Il faut laisser aux femmes, et à elles seules, le privilège de transmettre leurs noms aux enfants ; il restera toujours aux hommes, ces grands illusionnistes, celui de léguer l'étendue des leurs à des avions ou à des gymnases, à des poubelles ou à des batailles, et à encore bien d'autres sources de jubilation, ou d'ennui... Un monde qui résonnerait uniquement de noms féminins serait plus bienveillant, plus délicat, moins infâme, respirable enfin... » Cette générosité a ma préférence.

C'était un sensible Benoît, prêt à se dévouer pour vous faciliter la vie. Dans la voiture qui me ramenait à la gare de

Nice, après sa crémation, en route pour son dernier voyage vers Paris, son père me raconta une anecdote. C'était un soir après les cours, la veille d'un week-end, il avait quatorze ou quinze ans, il était rentré à la maison avec une grosse mèche de cheveux roux, en déclarant : « Je veux me teindre la tête de la même couleur, exactement pareil... » Comme ça, sans explication, résolu à la métamorphose. Le samedi ils firent ensemble les magasins, le dimanche sa mère se fit artiste et garçon coiffeur, le lundi au lycée il fut roux et heureux. Il le demeura une semaine, le week-end suivant il reprenait possession de son identité capillaire. Ses parents pensèrent à une gageure, à une de ces joutes d'adolescents, celle de la parole donnée, si importante à cet âge, ils respectèrent son mystère. Ils apprirent le motif par hasard, un parent d'élève un peu concierge, extasié du geste. Benoît était apprécié dans son école, il avait du charisme, de l'humour, de la force ; un chef de bande sans le titre et sans battage, une attitude naturelle, on lui faisait des civilités. Un nouvel élève était arrivé en milieu d'année dans sa classe, une mutation urgente du père, le dépaysement complet, d'autres amis à se concilier. Il était roux, il en flamboyait, d'entrée il fut très malheureux. Il ne fut pas boudé, au contraire, il fut taquiné, souffre-douleur et tête de Turc. Un vrai martyre, quasiment une vocation, il en pleurait parfois à la récréation. Benoît observait les hardis, les courageux, les crétins bruns ou blonds, il ne disait rien, il pensait. L'école fermait les yeux, ce n'était pas du ressort de la pédagogie, mais plutôt de l'extra-scolaire. Un lundi matin il se présenta lui aussi, flamboyant, orangé, si différent... Il y eut quelques stupeurs, quelques flottements et hésitations. Le rouquin fut acclamé.

Je n'écoute plus Jacques Brel. Quand je l'entends, je pars aussitôt, je change de station si c'est possible. Il me manque cruellement, mais je ne peux pas le souffrir. Il connaît notre histoire. Brel est une violence, un lynchage auquel j'ai renoncé. C'est dans une voiture, près d'un an après la mort de Benoît, que je me suis aperçue à quel point il m'était insupportable. L'autoradio de Maman déversait une station confidentielle et assommante : France Culture. Elle captait parfois cette fréquence pour mieux se faire une idée « du vide qui déborde... » et puis se remettait sur Inter. Elle appelait ces escapades hertziennes des « récréations de l'hermétisme verbeux et pédant... ». J'étais sceptique sur la définition et je lui disais qu'elle parlait comme ces gens quand elle les moquait, elle s'écriait alors : « Quelle horreur... » Maman était sincère, surtout dans ses énormités. *Orly*. Voilà ce que chantait Jacques Brel : *Orly*. C'est l'histoire d'un homme et d'une femme dans une aérogare de banlieue, ils ont un seul billet d'avion, l'un va décoller, l'autre va rester cloué au sol, alors ils pleurent, entourés « d'adipeux en sueur et de bouffeurs d'espoir » qui les observent. Un départ en vacances qui tourne mal, c'est ce que j'ai toujours pensé en écoutant la chanson. Dans la voiture, près de ma mère, ce fut très différent, j'étais attentive aux paroles, l'esprit France Culture sans doute. Alors j'ai prêté l'oreille à chaque mot, je ne l'avais pas décidé. Le texte et les intonations de la voix de Brel me pétrifiaient, les larmes prêtes à me déborder. Chacun se retrouve dans une chanson, paraît-il ; et beaucoup de ces « chacun » rendent son interprète riche et célèbre, il y a des statistiques très claires là-dessus... A la maison je me suis retirée dans ma chambre, laissant Maman à des conclusions pressantes. Il y avait, entre Barbara et Cabrel, quelques disques de Brel, dont son dernier, avant la mort rageante dans un hôpital de Bobigny, si loin de ses îles Marquises. Je me suis fait

un café au lait, dans un verre épais, octogonal et long. *Orly* a joué et joué encore
jusqu'à l'usure du saphir. J'étais étendue
sur le plancher, la main tout juste levée
pour remettre le bras du tourne-disque à
la bonne plage : « Ils sont plus de deux
mille et je ne vois qu'eux deux... » dans
le casque. Je suis ressortie un moment
pour prendre la bouteille de rhum, il fallait en finir, que ça se répande en dedans,
que ça force et pousse, que les barrages
cèdent et que je pleure. Les lèvres au gou-
lot et Brel entre les oreilles, un autre aéroport, Benoît qui rentrait chez lui et moi
chez moi, le ciel de la Manche qui nous
pesait trop de Londres à Paris, et que
revienne le temps où nous nous aimions
de Londres à Paris... « Et je les sais qui
parlent... Il doit lui dire je t'aime, elle
doit lui dire je t'aime... Je crois qu'ils
sont en train de ne rien se promettre... »
On ne s'est jamais dit des « Je t'aime »,
ou alors du fond du cœur, ou dans la
tourmente d'un regard. On se disait au

contraire qu'il n'y avait pas lieu de confirmer la réelle soumission à l'autre. Ces mots usuriers qui nuisent, ce n'est pas vrai, on ne les prononçait pas, encore moins encerclés de deux mille paires d'yeux braqués... Il ne pouvait donc les avoir entendus le Belge. « La vie ne fait pas de cadeaux... » Perspicace Jacques Brel, tu as eu raison de partir Benoît, espèce de beau salaud... Je répétais à tue-tête, dans ma tête, désaccordée : « La vie ne fait pas de cadeaux... » Ce n'était plus une rumeur navrante, c'était limpide sur la langue et ça passait bien avec le rhum, coulait jusqu'à la nausée, vers le canal Saint-Martin qui m'ouvrait ses eaux boueuses, là sous mes fenêtres. Je buvais à en noyer la terre, je mélangeais tout, Brel et Bécaud, ne savais plus trop qui était à Orly à reluquer la foule en partance et pourquoi le dimanche c'était plus triste que les autres jours... Ils devenaient plusieurs milliers et je n'en voyais que deux... « Et puis infiniment lentement ces deux corps se séparent et en se séparant ces deux corps se déchirent... Et je vous jure qu'ils crient... Et puis ils se reprennent, redeviennent un seul, redeviennent le feu et puis se redéchirent, se tiennent par les yeux. » Tu nous as espionnés voyeur, rapporteur, maître chanteur... Je tapais des coups secs sur le tourne-disque et l'aiguille ripait alors vers l'arrière, bégayant ce passage où il est question de ces chiens appelés à nous blâmer... *Orly* tournait et tournait à en avoir le tournis... « Se tiennent par les yeux... » Si tu voyais les miens, salaud de Benoît, ils chavirent, ils sont percés de partout, et c'est la débâcle et c'est le musée et l'océan, je riais en le maudissant, Brel s'en foutait lui, il rabâchait, il se multipliait... Ces yeux-là pour ton sourire, pour ton corps et tes manies, pas pour dégouliner, ces yeux-là pour te voir, pas pour t'y faire baigner en souvenirs et cendres... « Et brusquement il fuit, fuit sans se retourner... Et puis il disparaît... » Espèce de salaud, espèce de lâche, de sous-couilles urbaines... Espèce d'électeur... Ça fermentait, j'avais des aigreurs. Tu as eu la trouille, tu as vite déguerpi, tu m'as laissée me démerder toute seule... Et qu'est-ce que je fais, maintenant, hein, qu'est-ce que je dois faire ? Tu avais peur des autres, peur qu'ils te pourfendent, te méprisent. Tu te croyais tout entier. On avait pas la peste Benoît... On avait pas la peste... J'étais couchée sur le plancher le front brisé par le rhum, je me persuadais de cela : nous n'avions pas la peste... « Et elle, elle reste là, cœur en croix bouche ouverte, sans un cri sans un mot... » J'avalais du verre, je distillais du soufre, j'étais soluble... Brel et mon bel amour... « Ses bras vont jusqu'à terre, ça y est, elle a mille ans, la porte est refermée, la voilà sans lumière... » La porte est refermée... Le hublot... Les flammes sur le bois et Benoît dans le cercueil... La porte du four... Dernier appel pour nulle part...

Embarquement définitif... Service de première classe... Je riais, j'étais contente de ma trouvaille, je riais et je pleurais... La porte du four, l'embrasement dans le tunnel, la canicule sur Benoît... J'entendais les flammes, les entendais toutes, elles ronronnaient elles soupiraient, elles avaient soif... Une tape, une tape et puis aussi une gifle, ma joue qui brûlait, j'étais assise contre le mur, une autre gifle encore, l'envie de leur dire d'arrêter de regarder des films, je ne me suis pas évanouie, je me suis juste laissée aller. Salaud, brûle... Des flaques de couleurs, et aussi des broderies derrière la vitre, si ferventes, comme une partition. L'assaut de l'enveloppe, bientôt tout le corps, les sucres et les acides. Des traces de suie sur le hublot, la torsion des flammes sur aucune résistance... «Sarah, vous voulez encore un peu d'eau froide?» Leur four ressemble à un four à pizza... C'est très beau une crémation, ça éblouit et ça ne pourrit pas le sous-sol, ça ne l'encombre pas non plus, ça l'allège... Les flammes sont prisonnières, d'épouvante elles s'acharnent à l'intérieur... La mort est réchauffée, caramélisée, carbonisée. Boursouflée, la mort. « Ça y est, elle a mille ans... » La bouche grande ouverte, horrible, bouche déchirée, comme la gueule du blessé pour lequel la morphine est impuissante, l'écume autour des lèvres, la saumure dans le palais, je hurlais des charges et des cris, bridés, muets, si perçants que mes dents se fissuraient... « Ça y est, elle a mille ans... Ça y est, elle a mille ans... » Le volume au maximum, les trompettes derrière la voix de Brel, à la fin du cri, des mille ans, des trompettes de corrida, des cuivres de mise à mort sur des pas de danse... L'arène qui vomit des Néron, debout le pouce tourné vers le bas et qui beugle, une mort programmée d'un inconnu dont la voix est inaudible, une mort que rien ne justifie, sinon le plaisir, la force d'être un nombre, d'être une masse grasse et dominante. Une mort nécessaire pour la cohésion des beuglants, ces apprentis bouchers si policés... Mort pour être autre... «Elle a perdu des hommes, mais là elle perd l'amour...» Ce n'est pas vrai je n'ai rien perdu, j'ai manqué une correspondance, c'est lui qui a tout perdu, qui est au supplice, qui est seul. Je le devançais, je chantais sa chanson, toutes ses incandescences. Il me connaissait, Brel... Il avait le talent et les accords, j'étais son audience et sa muse, le crayon plongé dans mon cœur, il me récitait, il m'ébruitait, l'archiviste du désespoir. *Orly* tournait et tournait, nous en avions tous les trois le tournis, le disque se rayait de remonter ainsi le temps. Je le lacérais en cognant l'appareil, l'aiguille en sursautant se plantait toujours dans ces fameux chiens appelés à la rescousse pour nous blâmer... Cette invitation, ce détachement, cet optimisme, j'en buvais toute la tendresse, à en effacer les sillons, à en chauffer la cire et à en fondre le saphir...

Cette petite phrase arrogante, vigie lumineuse de simplicité et d'évidence, Benoît ne l'avait sans doute pas entendue à temps ; mais connaissait-il cette chanson de Brel ?... Quatre petits vers qui s'achèvent sur une audace que nous n'avons pas su crier avec Benoît, quatre petits vers écrits pour nous seuls, et qui me font mal... Quatre petits vers de *Orly*. « *Mais ces deux déchirés Superbes de chagrin Abandonnent aux chiens L'exploit de les juger...* »

Je n'écoute plus Brel ; dans toutes ses chansons, c'est *Orly* que j'entends...

Au jeu des correspondances, de mes yeux gonflés à mes cheveux hirsutes, ma mère s'aperçut le lendemain que j'étais malheureuse et que la bouteille de rhum était terminée. Elle posa une main sur mon front et lut comme sur une carte l'itinéraire de la peine, sa halte effroyable et ses cruautés sans détour. Mes joues étaient sales de concentré de larmes. Le deuil circulait à visage découvert. Elle ne m'a posé aucune question, elle a simplement dit que c'était à la douleur qu'on reconnaissait avoir aimé et que cette chance étant unique, il fallait s'en repaître tel un privilège plutôt que d'en pleurer. Et puis elle m'a parlé des jours qui passent, de la mémoire qui flanche, et aussi de Goethe. Elle l'avait lu, elle s'en souvenait fort bien, ce fut ainsi et je l'entends juste, elle le paraphrasait ; elle m'avertissais que j'allais maudire le temps qu'il me faudrait pour oublier, et que, par-dessus tout, je maudirais le temps lorsque, enfin, j'aurais oublié.

Elle m'avait comparée à une arme. Je pouvais donc tuer. J'avais une dizaine d'années, j'étais entre ses bras, nous faisions la sieste toutes les deux. Des courants d'air, des impressions de vents frais sur nous... « Qu'est-ce que ça fait d'avoir un enfant ? » Elle fut surprise par la question. J'ai compté le silence pendant quelques secondes. De son côté, il y eut une prudence à en sortir. « C'est comme avoir un pistolet sur la tempe, toujours. » Elle me serra plus fort contre sa poitrine, vers son intérieur comme elle disait. « S'il t'arrivait un malheur, n'importe quoi, n'importe quand, ma vie serait fichue. » Dans son cœur j'étais une bombe à retardement, les détonateurs étaient partout, en suspension et à portée de main. Ma mère vivait un état de siège permanent. Sentinelle, elle montait la garde sans le laisser paraître. A la première alerte, elle ouvrait ses bras et m'encerclait. « L'amour est né avec toi », me disait-elle alors. Je l'écoutais avec les yeux. C'était désarçonnant. J'étais la plus belle des petites filles. J'entendais : « Dieu frimait quand il t'a faite… » Elle avait raison. J'étais son seul amour. Elle s'entichait d'hommes, aucun ne restait. Aucun n'était assez souple, ou ils manquaient d'ambition. Elle les appelait ses « passagers clandestins ». Des escales, pas des ports d'attache. Elle les essayait tous, rien ne lui allait, ça glissait entre ses doigts, ne lui enserrait pas la taille, elle était beaucoup trop fine pour s'habiller d'encombrants. Elle les aimait quinze jours, les quittait en quinze secondes à peine, paroles d'adieux incluses. Et puis les regardait au loin se corrompre ou s'étioler, leurs bouches pleines d'épithètes. Ma mère s'inventait un style, elle semait des amertumes et des circonstances atténuantes. L'amour n'était pas un dépaysement, mais un inventaire, elle en favorisait l'événement plutôt que l'aventure, ses envies primaient sur les sentiments. Elle aimait de l'amour l'instant où il se décomposait, ça lui donnait des couleurs et un air triomphant. Parfois, elle partait la fin de semaine, j'allais chez ma tante le samedi et le dimanche. Maman me disait : « Je serai de retour près de toi dans un ou deux dodos. » Elle revenait, me réveillait, et c'était beau temps... Adolescente, je lui demandai pourquoi elle ne s'était pas mariée, pourquoi un homme ne s'était jamais abrité sous notre toit. Une délicatesse, m'at-elle répondu : « Il ne faut pas mettre la magie à la portée de tous les jours... Les promesses ne sont pas tenues. » Ce n'est pas une mauvaise façon de cultiver les sentiments tendres. Là, au moins, ils sont à l'abri... Ma mère avait la bonté de s'intéresser à elle-même. Un passe-temps insouciant, ou alors une pudeur de l'essentiel. En tout cas une volonté et une harmonie préétablies. Pour certains de ces amants, elle aurait pu prendre feu. « Ils avaient trop tardé... On ne rattrape jamais rien », disait-elle. Il y en eut un qui s'attarda, deux semestres, hachurés en multiples week-ends et enroulés autour des vacances du mois d'août. Une éternité pour ma mère. Une première. Tout changeait, il ne s'agissait pas de traits d'union mais d'amour. Il s'appelait Witold. Il était polonais, et antiquaire. Je l'aimais bien Witold, un homme distingué, très érudit, il m'apprenait les meubles, les ébénistes, les essences et les bronzes, les serrures au trèfle ou au pique, m'enseignait dans les salles des ventes et dans les musées, parfois aussi parmi des collections privées, les chefs-d'œuvre de Reisener, ceux de Œben. Witold avait un chien, un gros ourson noir aux reflets bleu nuit comme un taureau, un terre-neuve, déniché près d'une gare de triage lorsque le chien était encore un chiot. « Comment s'appelle-t-il ? » ai-je demandé. — Je ne sais pas. Il ne me l'a jamais dit... » J'ai aimé la réponse de l'un et le mutisme de l'autre. Mais Witold, lui, parlait un peu trop, l'aisance du trait, l'oubli de la modestie... Un phraseur... Un jour il affirma à ma mère vouloir l'emmener aussi loin que son regard porterait. Mais elle avait horreur des distances infranchissables et des paroles superflues. Witold prit seul un aller simple pour les antipodes et ses rêves de cuisine partagée... Pendant près d'un an à ses côtés, il ne s'aperçut pas qu'elle privilégiait par-dessus tout ce douillet espace situé entre une présence et une permanence. C'était un expert dans les meubles de bonne facture et d'époque royale, mais il jugeait ma mère au travers de son propre cadre, à l'instar d'un panorama, en décrivant la fenêtre qui le comprime : ce fut très périlleux... Ma mère ne recherchait pas une issue, il y avait toujours chez elle un scepticisme de grande classe, et elle adorait tant claquer les portes. Elle ne se sentait libre que lorsqu'elle se sentait tenue, à cet instant, elle se déchaînait. Witold exclu, Witold nous a manqué. C'était un bon millésime... Je pense à lui quand je vois ou caresse les placages et marqueteries des disciples de André Charles Boulle. Je crois que Maman résistait aux hommes par mauvais caractère. Je crois savoir aussi qu'ils l'accusaient d'avoir le cœur sec. C'est faux. Elle était très riche en renoncements, et trop sophistiquée, ce qui compensait bien leurs gros mots. En les quittant tous ainsi prématurément elle leur signifiait qu'ils existaient; elle les renvoyait chez les potiches, auxquelles ils ressemblaient si fort... C'était généreux, convenons-en.

Parfois, lorsque je me brosse les dents, je me regarde dans la glace au-dessus du lavabo, alors je suis prise d'un fou rire irrépressible : je vois Benoît brossant les siennes, brossant les miennes. Et s'ajustent les détails, minuscules géants, ranimant la vie enfuie... C'était dans la maison en Bourgogne. A vrai dire c'était plutôt dans l'Yonne, mais Benoît n'aimait pas prononcer le nom de ce département, il disait que l'Yonne ça sonnait banlieue parisienne, pavillons et supermarchés fluorescents, horizons étroits; « Bourgogne », et ça fleurait aussitôt l'histoire et la fougère, le côté gentleman-farmer, le civet de lièvre et la chasse aux champignons... Dans les derniers mois de sa vie il avait loué un studio à Paris, il n'y habitait jamais, c'était uniquement pour avoir une adresse stable dans la capitale afin que sa voiture soit immatriculée « 75 » et surtout pas « 89 »... Il avait peur de la banlieue, sans la mépriser. Nous y allions quelquefois. Il prenait des photos des immeubles, les plus laids, les plus inhumains. Il avait honte d'être architecte, « d'être du même bord que cette pègre qui avait osé accepter de bâtir ces choses ». Il se sentait coupable, il voulait faire un livre et visiter toutes les grandes villes du monde, épingler la banalité du béton empilé, la misère des inspirations, toutes ces escroqueries qui « hantent les nuages et avilissent l'azur » ; puis établir le palmarès des horreurs en associant bien, sous chacune d'entre elles, le nom de l'auteur du méfait, un livre repoussoir et obscène, « qu'on ne s'aventurerait pas à ouvrir souvent, ou alors pour s'aider à vomir, ou pour trouver parmi tous les noms d'architectes présents, de nouveaux synonymes de l'abjection »... Il était arrivé de Toucy avec un petit cadeau, il était impatient que je l'ouvre, je fus surprise par son contenu. « Qu'est-ce que tu vois ? me demanda-t-il. — Deux brosses à dents... » Il rigolait et insistait pour que je les regarde de plus près. Elles étaient quelconques et manuelles, un manche, des poils dressés au bout, une couleur acidulée, une marque grand public, ni une révolution ni un ahurissement. Benoît en prit une et me la présenta comme un objet précieux. Je sentis que le mystère allait être éventé. « Ceci, n'est pas une brosse à dents. Ceci, est La brosse à dents des professionnels », insistant fortement sur les mots pour en souligner l'importance. Il avait entrevu dans des journaux français les publicités vantant le produit avec ce slogan saisissant : « La brosse à dents des professionnels. » Il les imaginait, ces « brosseurs professionnels », en syndicats, dans des conciles de brosseurs de dents, auréolés de leur formation spécialisée, diplômes et palmes, des crampes au poignet, luxations de l'épaule et cloques aux doigts, un métier à risque, un de plus... La nuit venue, nous nous étions brossé les dents avec ces instruments de professionnels. Ce ne fut pas convaincant, il nous manquait l'expertise... Benoît faisait l'enfant. Il était enchanté de son acquisition, il s'improvisa professionnel, me brossa les dents, je lui offris mon émail, tendis mes lèvres. La brosse fut très vite abandonnée pour ses doigts et sa langue et sa peau, et bien d'autres choses encore, à aimer...

« Il n'y a pas de place pour un homme comme moi, pour notre amour, sauf la dernière, la définitive, celle qu'on indique de marbre blanc... C'est une image, je souhaite être incinéré... Laisser la terre aux vivants... » Sa lettre débutait ainsi, ce fut dur comme amorce. Moins que son suicide, pendant que je dormais. C'était la première fois que je voyais autant de mots de sa main, pressurés et bien alignés, à l'encre noire, six feuilles, recto verso. Ce qu'il avait oublié de me dire avant de se retirer, pas osé ; un inventaire de dernière minute, une mémoire d'outre-tombe, aux bons soins de la poste, cet entremetteur tarifé... Elle m'attendait lorsque je suis rentrée des funérailles, expédiée de Londres, le matin de son ultime départ pour la France, la Bourgogne. Un vendredi, deux jours après c'était dimanche, il y avait donc préméditation, crime organisé, contre soi-même... J'écris « crime » parce que c'est ainsi qu'il qualifie sa mise à mort, sa précipitation. Il la figurait comme une redite, une platitude dépourvue de singularité, sur cela je lui donne raison, ce n'est pas très novateur de mourir, c'est même assez courant, terriblement ordinaire, je fus déçue, je le croyais hors pair, le jour où il a renoncé, il n'était que banal, il eût fallu être résistant... Une seringue, un peu d'air frais dans une veine, la ventilation qui s'affole et succombe, la seule originalité, propre et silencieux, la volonté de ne pas déranger, un restant de savoir-vivre... Un départ sur la pointe des pieds, quand l'aube se lève, la discrétion est assurée, et puis, mourir à la naissance du jour, dans la clarté, sans aucune retenue, c'est moins triste, presque de bon goût... M'avait-il embrassée en se levant, regardée un peu, avait-il bu son café au lait avant de se soustraire?... « La mort m'attendait, elle ne se tenait pas en embuscade, j'ai juste accéléré le pas, au détour d'une pensée, d'un cheminement solitaire, je ne vivais plus depuis des semaines... Certains choisissent la clef des champs, j'ai préféré la clef du ciel, tu me feras voler, tu me disperseras... »

L'envie de se tuer, c'est pareil à l'appétit, c'est sans appel, ça vient de plus en plus à force d'y penser, oublier de l'assouvir et on s'écroule d'inanition, c'est fâcheux. Il n'y a pas de confort dans la vérité : je crois que ce n'était pas l'amant qui prenait congé en se sabordant mais le « père ». Benoît ne voulait pas mourir, il fut distrait par quelque chose, une absence de lendemains, l'âpreté du devenir, un déficit de convictions aussi, alors il se pistonna, le déplacement d'air intraveineux fit le reste, une manière comme une autre de s'affirmer, un sot orgueil, on ne se délivre que de ce qu'on possède. Benoît s'est concocté un chagrin, un grand, pour devenir soi-même avant de sauter le pas. Ce fut sans doute plus facile. « Prétendre coûte que coûte trouver encore le courage de vivre est une autre déclinaison de l'anesthésie, le cœur bat mais on ne ressent plus rien, on subit, offert et malléable, le simulacre est troublant, passé un temps il exaspère, tout devient alors caprices et épreuves, on se fatigue, il vaut mieux éteindre et se coucher, ne pas nier l'aptitude. Tu devines

177

qu'il s'agit d'un acte grave, comme notre amour, si mal né qu'il fût. »

Mourant, mort, convoqué, c'est ainsi qu'il se voyait. Moi, j'étais au bout de ses maux, bien en équilibre. Des « incestes », j'en ai entrevu, des pleins mon bureau, les pères étaient des porcs, leurs avocats m'emmerdaient, je les écoutais à peine, le protocole judiciaire, sans plus. Les porcs avaient des yeux mouillés, traîtrise de leurs nouveaux sentiments d'apparat, ils sentaient tous la sueur rance et la crasse. Il fallait les écouter se débattre dans leurs souillures, j'aurais voulu les y asphyxier. Mon greffier ressentait la haine qu'ils m'inspiraient. Un jour il s'octroya une franchise : « Vous aimeriez leur couper les couilles, non ? » Il était loin du compte, trop clément, un émotif, pas une épée. Des pleins mon bureau. Je débutais dans l'instruction, ils échouaient devant moi, pas fiers et niant tout, il fallait les aider à se reconnaître. J'arrivais de Bordeaux, son école de la magistrature, sa place des Grands-Hommes, le choc était rude. On n'est jamais assez préparée à se mesurer aux bas-fonds. La lie, ça ne s'enseigne pas, c'est trop varié, toujours à se transformer. Le porc lui est furtif, il tente de se dérober, pas liant du tout, je devais l'amadouer, dire que je pouvais essayer de le comprendre ; je me dégoûtais bien pour parvenir à l'encager des années. Juge d'instruction, c'est un rôle, un peu comme un dompteur qui soudoie l'agressivité de son fauve pour en faire un caniche. Entrevu seulement, parce qu'on a beau fouiller, retourner, secouer et tamiser, on reste à la surface, sur le propre, le moins dégueulasse, c'est trop profond, du vertige suspendu, on n'est pas là au moment des faits, on constate, on panse les plaies, on sévit, et on ne sait pas grand-chose... On sauve les apparences, il n'y a qu'elles de sauvées, tous les autres mettront des années avant de s'en remettre, et encore pas

tous, les amnésiques, les plus chanceux.
Le porc, lorsqu'il est domestiqué, devient
bavard, il en est ainsi tout modifié, un
vrai déluge, autant de vocabulaire, de
détails, de plaisirs minables, de satura-
tion, qu'on ne se gênerait pas d'être
sourde. Mais il faut savoir s'abandonner
au flot, à l'abondance de ces jeunes vies
saccagées, car le porc c'est rien, pas
même de la souffrance, pas même du
vice, ou de la méchanceté, c'est juste de
l'humain inavouable; la victime, ça c'est
terrible, c'est autre chose, c'est de l'inaudible, une étendue... On est tout étri-
qué en face d'elle, on aimerait la prendre
dans ses bras, la réchauffer, s'attarder
sur le surplus, mais c'est pas prévu par
le bon gros code de procédure pénale,
l'impartialité, elle, est codée, l'avocat du
porc le sait aussi, il ne sait que ça, qu'il
en radote... Des entrevues donc, de
toutes les couleurs, et des à vif, sans les
nuances, il suffisait de démêler, plus
c'était frais et plus ça empestait. Je ren-

trais chez moi le soir, je puais encore, une rente, avec des précisions, à se pâmer l'imagination, je dormais avec elle, elle me berçait. On ne s'y fait pourtant pas, on accumule, on catalogue, on lessive, une surenchère chronique, un musée de l'épouvante, là, bien à l'intérieur, calé dans vos tripes, sans espoir de laxatifs... Je ne vous raconte pas tout, vous savez à peu près, la télévision s'en gargarise, elle édulcore, c'est pire en vrai...

Tous ces porcs, leurs voix de brouillard et leurs raclures d'arguments, tous leurs viols à la petite distance, je vieillissais de minute en minute avec le système nerveux salement mutilé, je m'accrochais, j'autopsiais ces « incestes »; c'était de la grande panique, pas une distraction. La douleur s'étalait sur mon bureau, le plaisir commué en tortures et en lèpre, une saloperie poussant l'autre, des records battus sans débander dans une ferme revalorisation de l'autorité parentale... J'avais près de

vingt et un ans quand Benoît s'est sup-
primé parce qu'il croyait être l'un d'eux.
Il s'était alors fait justice tout seul, sans
possibilité d'appel, sur une qualification
erronée et délirante. Dans son esprit
effrayé, un procès avait eu lieu, complè-
tement à charge, les audiences se déroulaient dans le huis clos de l'opprobre
inexpiable et des châtiments majeurs,
l'instruction fut bâclée, le réquisitoire
sévère et les droits de la défense bafoués :
une parodie mortelle pour une indignité
capitale supposée. Il se proposa d'en finir
lorsque je lui annonçai que je ne voulais
plus de notre clandestinité, incapable de
me quitter, il m'écrivit puis s'exécuta. Le
prétexte était faux mais personne ne pouvait plus le sauver, un obstiné, une évidence de son tempérament.

Rien ne pressait, je n'allais pas en parler là, tout de suite, sur l'heure et dans
la brusquerie, sans prendre les mesures
préventives d'usage et déployer un ou

deux paravents. J'avais toute la vie pour l'ébruiter, moi, que l'homme que j'aimais était également « mon père » et qu'on ne choisit pas ses coups du sort, qu'on ne contrôle pas les audaces de son cœur, qu'on se tient devant cet amour plus seule qu'aucune langue ne peut dire. Et puis je ne prétendais pas l'épouser ni lui faire un enfant. « Je les vois, je les entends, les caquetages, les suspicions, les yeux levés au ciel, le ciel pas assez large pour tous les recevoir, ces ruminants... J'y pensais jour après nuit, Sarah... Tous ces inquisiteurs de la morale et des mœurs, ils resteront profondément eux-mêmes, c'est-à-dire catégoriques, féroces, étroits, absurdes, de l'autre côté de l'intelligence, dans les vidanges de la prétention, dans le rustique... Ils se surprendront et puis s'indigneront, ils auront même des opinions, la curée... Ils penseront avoir raison sans se douter que ce sera bien la première fois qu'ils se seront mis à penser, alors ils en réchapperont encore plus cons... Et contents... Et vandales. "C'est son père, c'est sa fille, ils couchent ensemble." En chœur, voilà ce qu'ils gueuleront, peu importe notre histoire : "Ils couchent ensemble...", ils ne retiendront que ça, ils en seront défigurés, à en oublier leur propre médiocrité. Les proches, les amis, la famille ? Leur indulgence ne nous aurait été que plus suspecte, c'est comme pour les infirmes, on ne peut s'empêcher d'avoir pitié, c'est humain et on aime les désastres, il y a toujours une petite place pour eux dans le creux de la haine... La frousse des réalités, son écho qui secoue longtemps après, ça tient chaud, ça donne à vivre à défaut de réfléchir. Moi aussi je crevais de peur. Parfois je me dégoûtais... "Contre Nature..." C'est ça qu'ils vont tous bêler. La "Nature" ! dès le début elle est baisée, au galop on nous enseigne l'apparence, la commodité et l'utile et le gré et la correction et la décence et l'élégance et puis les façons et les formes et les politesses et le protocole et aussi le tact et les règles et le savoir-vivre et les hypocrisies, le décorum, l'entier, des coulisses jusqu'aux greniers... A la naissance, la "Nature", on l'a d'instinct, on escalade les seins de sa mère pour manger, on dort et on chie, après quelques semaines on commence à savoir tenir sa tête droite, à regarder ses mains, à suivre un objet des yeux, ensuite tout va très vite, on se redresse, on marche, on balbutie un mot ou deux et c'est le signal, vous êtes à point, vaincu, tout est détourné, tout est alors "dénaturé...", et nous voilà donc gavé d'éducation et formaté et identique et reproduit au centuple, "Fais pas ci, fais pas ça" comme dans la chanson de Dutronc... Elle s'en moque la "Nature" d'apprendre Archimède, on est pas tout à fait couillon, on voit bien qu'une fois dans le bain tiède, l'eau monte quand on y plonge... L'Histoire aussi est "Contre Nature", surtout dans ses bonnes pages : les invasions et la colonisation, les épopées guerrières et les génocides, Bonaparte lui-même est "Contre Nature"... Mais cette "Contre Nature" là, elle est magnifiée, glorifiée, fêtée aux jours fixes et chômés... J'arrête ici, l'heure n'est plus aux thèses, tu dois attendre cette lettre, tu ne sais pas encore que tu patientes. »

Qu'est-ce qui empêcherait vraiment d'aimer la personne de son choix ? Et si, justement, cette personne n'était pas le fruit d'un choix mais la conséquence de quelque chose qui s'impose de lui-même, irrésistible et souverain, sans qu'il y ait de préférence à établir : un déferlement, un assaut, une reddition... Une détonation qui classe le coup de foudre pour un amusement de chef de gare. Aimer sans avoir le choix, sans même se résoudre à un espace pour lui, si infinitésimal qu'il puisse être. Une dictature du cœur. Une force allègre. Il y a un mot anglais pour rendre cet état d'esprit : « Insane ». Un satellite de la folie, voilà ce que l'on peut devenir. C'est si bon qu'on ne résiste pas, on en redemande de cette violence, on en rissole. C'est sublime et triste à la fois. Sublime parce qu'il règne sur cet amour comme un parfum trompeur d'immortalité, triste parce qu'on ne peut pas s'en défaire et qu'on crève à petit feu de l'entrevoir un jour moins éternel. Aimer. Je veux dire aimer les yeux fermés, juste avec le cœur, vierge d'information, suivre la musique de ses palpitations, et puis rien d'autre, être à l'entière disposition de ses tripes, quand le corps n'avait jusqu'alors jamais réellement senti ce que c'est qu'être corps. Et tanguer. A tout fendre... « Je t'aimais et je nous faisais du mal. Pareil à ces insectes qui plongent sur l'ampoule, ils pressentent s'y brûler mais la chaleur qui les attire est plus forte que leur raison égarée par l'absence du soleil. De toutes les femmes dont la terre est semée il a fallu que ce soit toi, le destin est taquin, ses faveurs sont singulières, il nous a choisis pour enchevêtrer nos racines, il nous essaye dans un genre, il faut respecter ses influences, mais c'est là un courage à se rompre les os. Le goût ne sait toujours pas trancher entre le doux et l'aigrelet, c'est officiel, alors l'amour... Tu me reprochais de ne pas venir en toi, de ne jamais vouloir venir dans ton sexe, je sais que tu en souffrais, tu fus même vexante une fois, une virtuose du mot qui blesse, ça suppose du cynisme, de l'épate, de la prévenance aussi, Sarah, de celle qui dépèce fort et sans escompte, j'ai encaissé, tu avais raison, je ne me souviens plus exactement de ce que tu as hurlé mais ce fut un joli direct, au fond de l'estomac. J'avais peur, tu étais au-dessus de tout ça toi ; les contingences de la prudence, les affres de la filiation, moi j'y pensais, tout le temps. Tu m'aimais sans identité et sans passé, tu prenais "la vie telle qu'elle est", mais la vie nous prenait de vitesse, nous dépassait et nous laissait loin derrière elle, tu ne le voyais pas. "La vie comme elle est..." Je ne sais pas ce que cela veut dire, c'est flou la vie, c'est changeant, c'est du jamais certain et du toujours inquiétant. J'ai relu tes lettres avant de rédiger celle-ci, quel talent! Quelle éloquence! tu me reproches en vrac des pudeurs et des artifices et des ambages et des conduites, ce ne furent de ma part que de petits sursauts, de la pire espèce, gouvernés par la terreur, celle d'être un monstre! Un égout! Un grotesque! Tu me dis : "Les tabous et les inhibitions ne sont que les peurs d'une majorité, nous ne lui appartenons pas. Quelles qu'elles soient elles finissent par changer, c'est ainsi qu'elles s'identifient, elles remorquent leurs ombres et deviennent des reliques." Innocente! mais c'est attrayant et même bien tourné. J'y ai cru un temps, j'ai perdu la foi, tu demeures toi intarissable, rien ne te dérange, tu veux nous colporter, frôler l'inénarrable... Je vais mourir, l'heure est aux confidences, à l'abandon. Je ne pouvais pas venir dans ton sexe, de rêve en rêve je l'ai fait, mais enfoncé dans ton ventre, je ne le voulais pas... C'est irrationnel et dément, c'était mon seul repère, mon ultime bouée pour ne pas totalement sombrer, je n'ai pas ta force, je n'ai pas ton détachement, ton héroïsme. Je craignais que tu puisses renaître en toi, ou que mon sperme puisse te refondre, te parfaire ou te contrefaire : en quelque sorte te corrompre... Je pensais que cette semence qui allait se mélanger avec ce qui était issu d'elle, là, entre tes hanches, dans ton sexe et ses intensités disposées, pulvériserait l'ultime rempart de ma conscience malmenée. C'est très décousu, je te l'accorde mais je ne parviens pas à trouver l'explication exacte de ce refus aberrant... Ou peut-être le sais-je et que je ne veux pas me l'avouer, alors tu le devineras, je n'avais pas toutes ces retenues ailleurs sur ton corps. J'accepte déjà tes conclusions... »

Six feuilles, recto verso... Ce n'est pas beaucoup pour marquer l'histoire, et c'est énorme comme épitaphe. Léger aussi, presque un bavardage... Les raisons de mourir sont toutes connues, souvent pittoresques, les détailler demeure inutile... Mais la coutume dans le suicide c'est la lettre qui l'assortit. Malgré la peine, on en reste friand. Ce souci chez les mourants de vouloir faire des phrases... On se tue en prenant des notes. Si on pouvait on enverrait des cartes postales. C'est aimable... Pour quelqu'un qui n'aimait pas écrire l'effort est remarquable. Sa lettre fut mon livre de chevet pendant des années, où elle calait mes fragilités, les péripéties de l'époque. Quelques digressions, une ou deux rodomontades, un rien d'étourderie et de maladresse dans l'expression des sentiments, un mobile présumé et une

191

volonté constante d'en finir : un constat de faillite, dans l'ensemble j'étais bien informée... Je savais qu'il était capable d'être disert équipé d'un stylo et d'une rame de papier. Cette confirmation sécrétait de l'effroi. C'est une différence du même ordre que la conception de la mort et la vue d'un suicide. Un excédent de clarté et de réalisme. La mort n'est jamais autant discoureuse que lorsqu'elle est prématurée... Voilà une circonstance inappréciable. Elle suscite des vocations de prosateur et de lecteur. Et j'ai énormément lu sa lettre... Jusqu'à m'en rayer les rétines. A en devenir vacante et habitée par ses mots, emmurée entre ses phrases, brûlante. Elle commençait par : « Un jour, on s'aperçoit qu'il est temps de devenir sérieux. Alors on se suicide... » Ce n'était pas vraiment vers le début mais plutôt dans l'amorce du premier tiers. Un passage testamentaire où il m'indiquait préférer au marbre froid les volutes de fumée et les cendres à disperser. Ma lettre de chevet... A force de la relire j'avais l'impression de l'user et d'entamer les feuilles, d'entendre leurs soupirs. Les mots m'invitaient à la curiosité, les blancs aux battements de paupières, les changements de pages aux larmes. Je respirais l'odeur de sa main. Je faisais le tour du monde de ma peur. A chaque nouvelle lecture se redéfinissait la trahison de Benoît. A chaque nouvelle lecture je lâchais prise. Pourtant, j'y trouvais finalement refuge parce que j'y voyais la nécessité qu'il rende l'âme à qui elle appartenait... Car cette âme était mienne, à la seconde où elle se déversa dans le ventre de ma mère pour me forger. Elle n'était pas morte, je la froissais entre mes doigts. Je l'ai fait glisser du papier et je me suis baignée dedans. Et j'ai bu toute l'eau du bain... L'intégralité de ses mots. Je les ai portés à ébullition sous ma peau. Je connaissais leur nombre exact et les syllabes, la totalité des virgules ainsi que toutes les autres ponctuations et les intervalles et les liens, les trois fautes d'orthographe, le pontifiant et l'intelligible et le suffocant, sans oublier notre amour commun pour Louis-Ferdinand : moi pour sa gouaille et sa souffrance décapante, Benoît pour son grand art des petits points suspendus dans le vide... On a beau crier toute sa nuit, on est jamais tirée d'affaire. Benoît, ôté de tout et retranché de ma vie, je le retenais quand même. Par cœur... Sa lettre, et ses rectos et ses versos, ont déteint sur moi. Nous avions mélangé nos langues dans nos salives, alors il fut fatal que nous parlions un jour un langage commun et que nous fusionnions nos mots jusqu'à ne faire plus qu'un.

C'était notre dernier petit déjeuner, le samedi matin, vers dix heures, la veille de sa démission. J'avais très mal dormi, je me suis levée la première, j'étais nerveuse. J'ai allumé une flambée dans l'une des cheminées, la plus petite, celle de la cuisine. Je sentais que quelque chose d'indéfinissable allait se passer, pareille à ces animaux qui flairent la tempête de loin sans savoir précisément ce qu'elle sera. Ou plutôt si, je présageais ce qui devait arriver : je souhaitais juste me disputer avec Benoît. Pour nous entendre crier, nous clouer avec des mots méchants, détestables, sans vergogne. Il s'est assis près de moi sur le banc, derrière la table en bois face au feu, il a regardé son assiette : « Tu es en colère, tu crèves toujours mes jaunes d'œufs quand tu es en colère... » Il a ri et m'a embrassée sur la joue, espérant une embellie. Je n'ai rien dit, nous avons déjeuné, il a laissé ses œufs, leurs soleils fondus. La tempête se défila. Ce n'était pas celle-ci que j'entrevoyais... Sa lettre échappait au tri postal, s'apprêtait à traverser la Manche.

Je lui avais dit : « Créons un précédent, le reste suivra... » J'étais spontanée, j'avais vingt ans. J'insistais : « Ils se sou-mettront, ils seront éblouis... » J'élabo-rais des manières, je me stimulais, ces choses qu'on voudrait surpasser, le théâtre où se toisent la raison et le rêve. Benoît s'accrochait ferme à la raison, il en résultait des crampes. Il me mettait en garde, mon jugement devait apparaître sans erreur, il me suffisait de mûrir et d'agir sans désir de paraître. Je devais me méfier de « mon être sensible ». Ses jolies paroles, pour esquiver les heurts, mes élans. Il ne faisait aucune allusion aux bristols que je cachais dans ses affaires. C'étaient des non-dits, j'avais l'humeur ardente, il n'était plus téméraire. Le « fignolage dans la diversité » le fit sortir de sa réserve. Il était atterré par mon insouciance. Le carton était biffé, il avait annoté en rouge que notre bel amour s'apparentait « à une difformité de la dif-férence ». Nous nous sommes bravés, une querelle de voisinage, il y eut des cris, une version inédite de la malfaisance entre générations. Je lui ai donc reproché sa lâcheté, il a mis en doute mon intelligence. Entre morsures et saccage, nous avons établi le bilan de nos divisions. Son suicide nous a départagés.

Demain, un jour, peut-être dans mille, un père pourra aimer sa fille d'amour charnel sans qu'il soit besoin d'en mourir après... Bientôt les amours volontaires et partagées entre parents et enfants seront tolérées et reconnues... Sinon, tout ça, ces passions contrariées, défendues, ce ne sera que du malheur à perpétuité, de la mort au rabais. Je ne parviens pas à croire à tout ce qui limite. Il n'y aurait plus alors de libertés à gagner. On s'ennuierait, à en perdre le sens de l'orientation et les projets d'avenir; sans la folle ivresse de l'espoir, rien ne nous ferait plus avancer... C'est trompeur ce mot : « Défendu ». De prime abord on pense à une généreuse société de protection, une de celles qui prennent en charge, rassurent, abritent, assistent et réchauffent. « C'est défendu » : de suite, on se sent concerné et détendu, plus vraiment menacé. Ça sous-entend que c'est placé sous tutelle spéciale, une instance extraordinaire, un haut comité de surveillance, avec des garanties et un périmètre de sécurité, alarmes à tout-va et inspections par rondes aléatoires, détection et neutralisation à distance des menaces. Une tour d'ivoire, un havre. Une tranquillité fortifiée. Défendu, en somme. C'est une question de lecture, car ce mot est traître, avoir de l'imagination ici n'est pas que permis, c'est préconisé... Les lois ne sont rien d'autre que des principes qui ont mal tourné, des opinions de masse qui se sont faites respectables à défaut d'être prises très au sérieux ; j'en sais quelque chose, si elles l'étaient, nul besoin de tous ces magistrats... C'est singulièrement difficile d'aimer... Et quand, après tant de rêves délaissés, se présente cet amour, il suffit de l'accueillir avant qu'il ne s'en aille éblouir ailleurs. S'il s'en va, l'existence, elle, demeure invivable. Pourquoi alors nous faut-il juger un amour quel qu'il soit ? Y en aurait-il de plus honorables, ou de mieux fondés ? Certains seraient-ils maudits avant même d'avoir pu s'épanouir ? Quels sont les critères avérés, qui les déterminent, les limitent ? Une brave limande ne pourrait-elle pas tomber amoureuse d'une bicyclette ? Cela ne me gênerait nullement, je n'en serais guère surprise, ce serait même épatant... Ce que j'ai entendu, supporté dans mon bureau, des instructions durant, tous ces porcs, ces martyres, ce ne sont pas des incestes, ce sont des viols par personnes ayant autorité, ce sont des viols collectifs : l'homme et le père, deux fois monstre, deux fois salaud et ordure, deux fois coupable, une fois jugé, une seule peine, une erreur judiciaire, une aberration... Il faut requalifier ce crime, le requérir à la hausse : viol collectif, et

aussi ses accessits, tortures et barbarie...
L'inceste c'est autre chose, je n'en ai
jamais vu dans mon bureau. Les histoires
d'amour ne sont pas de la compétence de
la justice, ni de quiconque, elles ne regar-
dent que quatre yeux. Elles volent à des
hauteurs béantes, vers ces choses scin-
tillantes qui clouent le ciel pour l'empêcher de s'écraser sur nous, aux étoiles
elles planent. C'est choquant l'inceste ?
Pourquoi le serait-ce d'abord ? Si tel est
le cas, toute personne aimant une autre
personne commet une offense. Les raisons de ce malaise face à l'inceste, je les
connais fort bien, je n'y adhère pas, elles
sont fallacieuses. C'est paraît-il abaisser
l'humain au niveau de l'animal, ça se
dit, se propage alentour. Sommes-nous
meilleurs que les animaux ? Pas très sûr.
Je ne sais plus qui a écrit cela, c'est un
homme, jamais une femme ne l'aurait
dit : « Je voudrais mourir du côté des animaux pour être certain de mourir du
bon côté. » Romain Gary ? Un autre ? Un

esthète... Alors, d'où vient ce malaise ? De la religion peut-être ? La très Catholique et sa kyrielle d'anathèmes ? Ou de ses semblables ? Un interdit basé sur une hallucination collective, sur une supercherie, une superstition, c'est du solide et ça lui donne de l'assise, c'est même du définitif, du mille pour cent certifié jugeote. Et je vous épargne nos fondations : l'Antiquité, ses Romains, ses Grecs, tous bons sauvages à moitié nus qui ne nous ont rien laissé sinon quelques ruines branlantes. Ces gens, pas plus primesautiers, ils s'aimaient sans fard et sans reproche, ils ne s'encombraient pas de simagrées, de pudibonderies. Ils étaient si débauchés, si noceurs et si libidineux, qu'on en étudie encore les philosophes et les textes... Pas la peine de bondir, je le sais bien : j'ai des relations dans la mauvaise foi... C'est offert, et puis c'est pas à discuter, vous me désoleriez... Benoît affirmait que j'établissais des records qui ne seront jamais égalés. La douleur, immense, un calvaire grand comme une steppe qu'aucune carte ne mentionne, il en faut des vaillances, et des épreuves et de l'outrecuidance pour tenir, dix ans après... Un cadavre, ça ne vous laisse pas une seconde de répit... Peu de jours avant la mort de Benoît, ce fut intenable, il baissait les bras. « Il n'y a pas de solution pour des gens comme nous... » Je l'ai entendu plusieurs fois, c'était lassant comme leitmotiv. Il y avait du monde dans cette phrase, pas toujours du beau, épileptiques de la rectitude, et des féroces, avec du caractère, et bien baveux, indicateurs aux mœurs. Car tous, face à un tel amour solaire qui les incendierait, ils avanceraient encore à l'arrière-pensée... J'envisageais la publicité et le grand jour ; Benoît couvait des cachotteries, le néant avec ses contrejours. Je l'ai souvent fait hurler, Benoît... Je basculais ses arguments, je bottais la contradiction dans les marécages de l'insolence. Lorsqu'il repartait à Londres, je glissais dans son sac des petites notes écrites sur des bristols de couleur. Je soignais la calligraphie, pas mes effets. J'avais vingt ans, j'étais amoureuse, j'étais idiote. Il ne voulait plus endurer mes excès de mauvaise foi, je me suis modérée, je les lui adressais, comme des pense-bêtes, en biais. Je lui forçais la main, il les lisait, ça le minait doucement, je ne le savais pas. Un soir, j'écrivis : «Notre amour, c'est juste du fignolage de la diversité.» Ce bristol, il me l'a redonné. Je le conserve encore, avec sa lettre, et la carte postale de Karen Blixen. Bientôt, plus tard, je les brûlerais, en récompense, l'instant où ils ne seront plus un motif de pleurs.

C'est classique : on se rend compte que sa vie est gâchée lorsqu'on a renoncé à ses rêves pour n'en garder que les regrets et la peau grise de l'aigreur. Vingt ans, c'est trop tôt pour vivre dans la résignation, et bien trop tard pour ne pas en être tourmentée. Ce ne sont ni la mort ni l'absence de Benoît qui me choquent; c'est le mur contre lequel nous achoppions qui continue de me hanter. Notre relation était un problème insoluble, une équation à deux inconnues d'un type très rare, où deux amants ne pouvaient s'unir mais uniquement s'annuler sans laisser de traces... Cet amour reposait sur une conviction qui n'était pas partagée. Benoît c'était l'absolue clandestinité, je désirais la transparence... Je crois toujours qu'il y a une place sur l'éventail de l'amour pour une passion incestueuse magnifique, réciproque, solaire. Même si je circule au milieu d'une foule hostile à mes desseins, et dont je connais l'aveuglement séculier, aujourd'hui, ne pas choisir le plein jour et l'exposition à la lumière, serait me trahir... Mais faute de comprendre, d'entreprendre, de résoudre, peut-être saura-t-elle enfin m'accepter.

« Je me suis posé la question, je me suis ouvert une brèche. La partie était truquée. Il n'y a pas de solution pour notre amour, uniquement dans une échappée solitaire. Tu évoquais les "archaïques", sans savoir qu'il s'agissait de nous, ce sont nos semblables, Sarah... Jamais tu n'as réussi à t'abandonner à cette idée qu'ils sont impénétrables, ils sont ainsi : ils s'enchaînent à la certitude, pas à la dissidence... Ta gloriole ! Cette frénésie... Tu ne veux pas t'avouer vaincue. Tu ne seras pas défaite, il n'y a pas de combat à livrer... S'imposer ? Encore faut-il un public, une emprise, un vent nouveau, une légère oscillation des points cardinaux. Infinie patience. Tu t'accordes à légitimer l'injustifiable, tu assignes à la rescousse la vie des animaux et les religions et aussi l'Antiquité sortie de la naphtaline, je t'entends, toujours le même ordre, la fumeuse trilogie de choc. J'aime cette arrogance, ce port de tête, la fanfaronnade... C'est ardu et c'est acrobate et c'est des effets, une somptuosité... Mais c'est gesticulation et cascade de bruits, c'est trépidant, ça ne résout rien. Pour une fois, grâce à la ponctualité de nos chers facteurs, j'aurai le dernier mot... Tes petites notes, entre mes chemises, les pages de livres, à peine arrivé à l'aéroport de Londres je fouillais mon sac, je lisais presque en cachette et je déchirais vite, je les répartissais dans plusieurs poubelles, j'aurais pu les brûler, mais là, au beau milieu des débarquements tous horizons c'eût été suspect, nous étions dans la clandestinité pas dans la résistance. Je les jetais car j'avais peur d'être victime d'un accident de la circulation, du cœur, une brique sur la tête, un pont qui s'écroule, que sais-je... et qu'on déballe mes affaires, qu'on me fasse les poches, qu'on retourne ma vie, et me piste ; tes revendications étaient trop directes, sans équivoque et écrites noir sur blanc, sur de la couleur, je les lisais, j'étais attentif à tes choix, les tons pastel... Tu oublies l'essentiel, jolie Sarah, je te le redis ici car tu ne m'écoutais pas, il n'y aura pas à débattre, peu importe la valeur des arguments ou celle de l'amour : nous n'avons pas notre place, et aucune raison de l'implorer ou de la décréter. C'est du sérieux, pas du méditatif. Je t'entends, là aussi, tu vas trépigner et me maudire, ça résonne déjà dans ma tête, ça rugit... "On est pas obligés de se reproduire..." Je sais tout cela... "Je me souviens des jours anciens et je pleure." C'est d'Albert Cohen, pas de Serge Gainsbourg, il a dû lire *Belle du Seigneur* et remanier à sa façon la pensée d'Adrien quand délaissé par Ariane il veut se suicider. Il se manquera, je te rassure, car sa main a tremblé, la balle lui écorche le cuir chevelu... Je me souviens de tes éclats, cette faculté à t'insurger, une richesse dont tu abuses, tu te revigores dans la confrontation, certaines de tes indignations sont belles, Sarah. Je revois, je revois tout. A Copenhague, tu voulais relire Céline, c'était l'endroit pour le faire, son arrivée dans la ville, les

207

années de prison, le pénible exil, tu cherchais *Rigodon* et puis *Féerie*, le premier tome, nous étions allés à l'Institut français, j'entends encore ta colère, le visage de la vieille bibliothécaire, tes mots : "Céline à la cave... Céline à la cave... Ici, là, dans cette ville, à Copenhague." La pauvre femme, tu la traitais d'épicière, et puis, plus bas, de "mère maquerelle", tu lui reprochais ses rayonnages, ses collections complètes des Philippe Labro et Philippe Djian, "les presque rien", et "Céline à la cave...", dans un dépôt, dans les sous-sols, loin des yeux, banni... Elle courut, vola et te les apporta tous, s'excusa même, la poussière sur les couvertures, le moisi... Je revois, je revois tout. Je te regardais les essuyer un à un avec ton écharpe et signer la fiche d'emprunt, "la levée d'écrou" comme tu disais, tu étais merveilleuse et tu étais heureuse, et tu libérais enfin Céline ! Tu le réchauffais, entre ton pull et ton manteau, sur ton cœur ; en sortant de l'Institut, ta décision était prise, jamais tu ne les rendrais, tu allais "l'aérer, le faire voyager, ne pas lui faire réintégrer ses sales oubliettes, le rapatrier en France..." Demain, après-demain, je vais mourir, alors je revis tout, ta fougue, ta joie de nous promener tous les trois. Le goût "Baltique", comme Céline, tu trouvais tout insipide, le poisson et les fruits, les pâtisseries, le pain, le café au lait, tout parfaitement interchangeable, tu fulgurais! Sarah. Oui, tu fulgurais... J'étais aux anges, et ils m'encourageaient, j'étais tenté de t'avouer que je t'aimais... Personne ne nous connaissait là-bas, nous étions anonymes et aussi sans méfiance... J'aurais voulu figer ces moments, alors j'ai tout enregistré, jusqu'au parc de Tivoli et ce photographe qui nous a dévoilés... Tu avais lancé un défi, à lui, un physionomiste professionnel! Un spécialiste du portrait et du lignage! Qu'espérais-tu? Un sourire extasié?... Une approbation?... Mais c'est plus fort que toi, tu aimes les défis et les batailles, alors tu les débusques ou les convoques un à un pour les conjuguer à toutes les formes inimaginables, et qu'importe les concordances de temps et les pièges et les exceptions et la valeur relative du présent et la précarité de notre futur, tu innoves et tu pulvérises les règles et tu les poudroies ! A ta guise ! Toujours dans les altitudes ! Voltigeuse ! Je te préfère dans ces petites colères, deux-trois mots bien ajustés, tes jolies narines pincées et le rouge aux joues et les mains arabesques en sous-titre à ton courroux, comme là-bas au Danemark, quarante ans après : déterrer Céline du cachot pour lui restituer l'air de Paris et la rue Girardon, c'est un effort, c'est un sauvetage, une résurrection... Mais là, tu m'achèves, par la feinte, sans le voir... Tu veux nous proclamer à tous, propager notre amour, lui offrir un atour respectable, et récolter tous les suffrages, peut-être l'acquiescement général... Porter haut le désir de tes dépassements, ce n'est pas accessoire pour toi, mais pour moi c'est suicidaire... Tu me disais que si tu ne pouvais pas avoir une vie normale, tu aurais la meilleure des vies anormales... Quelle est la valeur de ton seul vouloir ? Tu te grises de mots de combat, te braques sur une vanité qui t'engage et t'enferme... Sais-tu au moins ce qu'il faut d'actes volontaires pour ne pas trop salir un rêve d'idéal ?... Il me vient une évidence : la vie me joue de sales tours, je la quitte avant qu'elle ne me donne la nausée ou que je ne devienne toupie; parfois elle est un effroyable devoir et je n'ai pas la boulimie des travaux forcés... Si c'est un crime de ne pas avoir su ta naissance et ton enfance et ton adolescence et tes premiers mots et tes premiers pas et tes premiers émois et tous tes jours essentiels, si c'est un crime de t'avoir aimée et de m'être laissé aimer en retour, alors aujourd'hui te voilà seule... Le premier de mes crimes fut celui de l'ignorance, le second celui de la faiblesse; sans l'un, l'autre n'aurait pas été... Je ne sais pas remonter le temps mais je peux l'arrêter; et puis mourir ce n'est pas grand-chose, c'est d'avoir été tant de fois vaincu qui est douloureux... "Je me souviens des jours anciens et je pleure..." Je crois que la vie n'aime pas le vide, alors on remplace sans cesse, on comble le vacant, je ne veux surtout pas te remplacer... Tu me lis et je suis parti, c'est le seul moyen que j'ai trouvé pour te quitter sans drame. (...) »

Lorsque j'ai arrosé les eaux de la Seine de ses cendres, je me souviens d'avoir dit à Benoît : « Respire maintenant, respire... » J'avais l'émotion mercenaire et je pensais que le suicide n'était rien d'autre que l'amour de la vitesse. Une retouche à la géométrie, aux saisons, à la lassitude du décor. Exiger la perfection, voilà une preuve d'ignorance. Mais c'est indémodable et un rien pédant. Alors on se tue et la beauté nous est accordée... Je devins bègue du cœur et tirée à quatre épingles. Se pardonner à soi-même est la seule chose que personne ne peut faire. Je n'avais pas la mesure d'une exception... Ce fut l'ébriété des résonances, ces coups de gong de la mémoire, le musée le plus fréquenté, semblable au plan d'une ville abandonnée, avec tous ses corps, sous serments, dans la pénombre. Calciné et réduit en cendres, Benoît était encore plus beau, plus désirable. Sa mort était un miroir, je cherchais à m'y fixer. Un soir il m'avait dit : « Ses rires et ses pleurs, voilà tout ce qu'on possède vraiment. On peut tout perdre, on peut tout te reprendre, mais tes rires et tes pleurs, jamais on ne pourra t'en priver... » Au travers de mes rires et de mes pleurs, je le vois et ça me mange les yeux... Après l'état de choc où je criais : « Qui l'a tué ? Qui l'a tué ? », je me suis réveillée avec toute la vie devant moi et je ne savais pas quoi en faire... Sur les quais de la Seine,

les mains poudrées de cendres, je me suis
enfermée un peu plus derrière mes paupières, il me faisait l'amour pour la première fois, ensuite il a parlé, c'était
saccadé et malhabile : « Qu'est-ce qu'on
va faire après ça ? — Recommencer,
j'espère… » Il m'a regardée, interloqué,
j'ai ajouté : « Qu'avons-nous à perdre ?
— Tout… » a-t-il répondu. « Exactement… », j'ai conclu en riant.

« On garde le souvenir
des morts… Pourtant, c'est
comme s'ils n'avaient
jamais existé. »

HENNING MANKELL.

* * * * * *

Remerciements

à **Sara Thelle.** Ma première lectrice, ma première critique. Son amour, sa générosité, son désintéressement, ont rendu possible ce livre.

* * *

à **Elsa Gribinski.** La précision de ses exigences, son intransigeance, ses encouragements lors des périodes de doute, ses conseils, sa disponibilité à tous les instants, m'ont été irremplaçables.

à **Manuel Carcassonne.** Parce que c'est toujours un homme vraiment bien et qu'il se bonifie sans cesse.

à **Mon éditeur actuel,** et surtout à toutes celles et à tous ceux qui ont permis à ce livre d'exister : les collaborateurs de la maison Grasset et tout particulièrement le service de la fabrication, le service commercial, le service de presse, et le département des cessions de droit...

Impression réalisée sur CAMERON par

BUSSIÈRE CAMEDAN IMPRIMERIES

GROUPE CPI

à Saint-Amand-Montrond (Cher)
pour le compte des Éditions Grasset
en février 2003

Nº d'Édition : 12737. Nº d'Impression : 030600/4.
Première édition : dépôt légal : janvier 2003.
Nouveau tirage : dépôt légal : février 2003.

Imprimé en France

ISBN 2-246-62591-2